Dechrau Canu

Hawlfraint y testun:
© Gwasg Efengylaidd Cymru, 1987

Hawlfraint y dylunwaith:
© Lion Publishing plc., 1987

Argraffiad cyntaf, 1987

ISBN 1 85049 040 6

Diolchwn i Wasg Gomer, Llandysul, am ganiatâd i gyhoeddi
cyfieithiad y diweddar J. D. Vernon Lewis, 'O! tyred Di,
Imaniwel', a ymddangosodd yn y gyfrol *Mawl i'r Goruchaf* (1962).

Lluniau gan 'Sonia Halliday Photographs' fel a ganlyn:
F.H.C. Birch — tud. 9, 21, 46, 51, 61, 65; Y Chwaer Daniel —
tud. 22, 27, 28, 31, 32, 35, 38, 53, 59, 86, 91; Sonia Halliday —
tud. 11, 12, 19, 36, 42, 44, 62, 66, 71, 75, 79, 85, 93 a'r dalennau
clawr; Laura Lushington — tud. 15, 69, 77, 80, 89; Barrie Searle —
tud. 48; Jane Taylor — tud. 56; Else Trickett — tud. 16, 24, 41,
54, 73; Barbara Warley — tud. 83.

Cyhoeddwyd mewn cydweithrediad â Lion Publishing plc, Tring,
Lloegr, sy'n cyhoeddi cyfrol yn Saesneg gan Christopher Idle dan y
teitl *Famous Hymns and Their Stories* gan ddefnyddio'r un
dylunwaith. Hawlfraint: © Lion Publishing plc, 1987.

Cyhoeddwyd y gyfrol Gymraeg gan Wasg Efengylaidd Cymru,
Bryntirion, Pen-y-bont ar Ogwr, Morgannwg Ganol, CF31 4DX.

Argraffwyd a rhwymwyd ym Mhrydain gan Purnell Book
Production Cyf., Aelod o'r Grŵp BPCC, Paulton, Bryste.

DECHRAU CANU

RHAI EMYNAU MAWR A'U CEFNDIR

Detholiad gan E. Wyn James
Lluniau gan Sonia Halliday a Laura Lushington

GWASG EFENGYLAIDD CYMRU

I'M
RHIENI

CYNNWYS

MAE'R GWAED A REDODD
AR Y GROES

Ym marn rhai, Robert ap Gwilym Ddu o'r Betws Fawr yn Eifionydd oedd bardd gorau'r ganrif ddiwethaf, ac yn sicr ef yw un o emynwyr gorau'r ganrif. 'Yn ei emynau', meddai'r Athro Stephen J. Williams, 'cyfunodd ef grynoder y canu caeth ac asbri telynegol emynwyr y 18fed ganrif.' Fel emynwyr eraill oes y diwygiadau nid yw byth yn crwydro'n bell oddi wrth y groes; a thema ei emyn enwocaf yw'r newydd-deb a ddaw i'r golwg yn barhaus yn 'yr hen, hen hanes am Iesu a'i gariad drud'.

Roedd Anne Wynne, un o chwiorydd Robert ap Gwilym Ddu, yn byw ar fferm Cefncymerau ym mhlwyf Llanbedr, Meirion. Yn 1820 agorwyd ei chartref i bregethwyr y Bedyddwyr. Ei gŵr hi, maes o law, a roddodd y tir ar gyfer codi capel i'r Bedydwyr yno — capel Salem, Cefncymerau, a anfarwolwyd yn narlun enwog Curnow Vosper. Yn ôl traddodiad, ar ddiwedd cyfarfod yn ei chartref un tro, anogwyd Anne i ofyn i'w brawd a fyddai ganddo rywbeth addas i'w ganu yng ngwasanaeth y cymun, gan ei fod yn 'dipyn o fardd'.

Y tro nesaf iddi ymweld â'r Betws Fawr addawodd ei brawd y byddai ganddo rywbeth yn barod cyn iddi ddychwelyd adref, a'r emyn hwn oedd ffrwyth yr addewid. Tybed a sylweddolodd ei chwaer y fath gyfoeth a gludai yn ôl ar draws y Traeth Mawr y tro hwnnw? Canwyd yr emyn gyda chryn arddeliad gan y cwmni bychan yng Nghefncymerau yn y cyfarfod pregethu nesaf; a'i anwylo gan Gristnogion Cymru fu ei hanes byth wedyn.

Mae'r gwaed a redodd ar y groes
  O oes i oes i'w gofio;
Rhy fyr yw tragwyddoldeb llawn
  I ddweud yn iawn amdano.

Prif destun holl ganiadau'r nef
  Yw 'Iddo Ef' a'i haeddiant;
A dyna sain telynau glân
  Ar uchaf gân gogoniant.

Mae hynod rinwedd gwaed yr Oen
  A'i boen wrth achub enaid,
Yn seinio'n uwch ar dannau'r nef ·
  Na hyfryd lef seraffiaid.

'Mhen oesoedd rif y tywod mân
  Ni bydd y gân ond dechrau;
Rhyw newydd wyrth o'i angau drud
  A ddaw o hyd i'r golau.

Ni thraethir maint anfeidrol werth
  Ei aberth yn dragywydd:
Er treulio myrdd o oesoedd glân,
  Ni bydd y gân ond newydd.

ROBERT WILLIAMS ('Robert ap Gwilym Ddu'; 1766-1850)

TYDI, O DDUW, A FOLWN NI

Ar ganol gwasanaeth y Foreol Weddi yn y Llyfr Gweddi Gyffredin ceir y *'Te Deum Laudamus'* — 'Ti, Dduw, a folwn . . .' Mae'n gyfieithiad i ryddiaith o un o'r emynau Lladin cynharaf sydd ar gael. Ymranna'r emyn yn dair adran. Mawl i Dduw gan fodau nefol a daearol yw cynnwys y rhan gyntaf. Canolbwyntio ar Berson Crist a'i waith a wna'r ail. Gweddi am nodded Duw i'w bobl yw'r adran olaf. Cyfuna, felly, fawl, datganiad o gredo a gweddi.

Gyda'r rhyddid i addoli'n gyhoeddus a ddaeth yn y 4edd ganrif, dechreuodd canu cysegredig yr eglwys ddatblygu o ddifrif. Gwelodd yr un cyfnod Ladin yn disodli Groeg fel iaith addoliad cyhoeddus yn eglwys y Gorllewin. Un o arweinwyr mwyaf dylanwadol yr eglwys yn y ganrif honno oedd Emrys, Esgob Milan. Gwnaeth fwy na neb i boblogeiddio emynau, ac fe'i cyfrifir yn sylfaenydd emynyddiaeth eglwys y Gorllewin. Dywed hen draddodiad i'r *Te Deum* gael ei gyfansoddi ar y cyd gan Emrys a'r diwinydd mawr Awstin, adeg bedyddio Awstin. Ond tebycach o lawer yw mai cyfoeswr i Emrys, yr esgob Niceta (o Iwgoslafia ein dydd ni), yw'r awdur.

Dros y blynyddoedd cafwyd nifer o gyfieithiadau Cymraeg o'r *Te Deum* ar fydr. Caed un, er enghraifft, yn *Gwasanaeth Mair* yn yr Oesoedd Canol, ac un arall gan Edmwnd Prys. Cafwyd sawl un yn ystod y ganrif ddiwethaf hefyd, cyfnod a welodd gryn gyfieithu ar emynau Lladin o'r cyfnod cyn-Brotestannaidd. Dyma fydryddiad o adran gyntaf y *Te Deum* a luniwyd yn arbennig ar gyfer y gyfrol hon:

> Tydi, O Dduw, a folwn ni,
>   Addefwn Di yn Arglwydd;
> Y ddaear oll, pob llwyth a gwlad,
>   A'th fawl Di, Dad tragywydd.
>
> Yr holl angylion, nerthoedd nef,
>   A gwyd eu llef yn unol;
> Ceriwbiaid a seraffiaid rydd
>   Ddi-baid leferydd bythol.
>
> Sanct Arglwydd Dduw y lluoedd mawr,
>   Llawn nef a llawr d'ogoniant;
> Apostol, proffwyd, harddwych lu,
>   Ymhell uwch rhi', a'th folant.
>
> Hardd lu'r merthyri, pêr eu cân,
>   A'r Eglwys Lân drwy'r hollfyd,
> I Ti rhônt fawl, anfeidrol Dad,
>   A'th wir Fab rhad, a'r Ysbryd.

EDMUND TUDOR OWEN (g. 1935)

WRTH GOFIO'I RIDDFANNAU'N YR ARDD

Ar ddiwedd catecism bychan ar 'Ddioddefaint Crist', a luniodd Thomas Lewis ar gyfer gwaith yr ysgol Sul, y gwelodd ei bennill enwog, 'Wrth gofio'i riddfannau', olau dydd am y tro cyntaf. Mae'n debyg iddo ei lunio ar fesur tôn y daethai ar ei thraws ychydig ynghynt ac yr oedd am weld ei harfer. Roedd yn un da am drin clociau, a dywedir mai wrth fynd trwy'r caeau rhwng yr heol a fferm y Cilwr, yn ymyl Talyllychau, ar ei ffordd i lanhau cloc yno — dros dir a fu unwaith yn eiddo i'r hen fynachlog — y cyfansoddodd ei bennill, 'emyn anwylaf yr iaith' yn ôl Dr Gomer Roberts.

Gof oedd Thomas Lewis. Hyd heddiw gellir gweld ei hen efail yn ymyl y ffordd sy'n mynd trwy Dalyllychau. Yn un o'i gerddi sonia Gwenallt am sŵn morthwyl Thomas Lewis 'fel clychau dros y pentref a'r fynachlog ac elyrch y llyn'; ac â ymlaen i sôn amdano'n tynnu 'ei emyn fel pedol o'r tân, a'i churo ar einion yr Ysbryd Glân a rhoi ynddi hoelion Calfaria Fryn'. Yn ôl disgynnydd i Thomas Lewis, a oedd yntau hefyd yn of, mae'n ddigon hawdd gwybod mai gof a gyfansoddodd yr emyn: 'On'd yw e'n sôn yn ei emyn am chwys, a tharo, a hoelion, ac aradr, a chalon galed yn toddi?' gofynnai. Ond rhaid cofio hefyd fod i'r delweddau hyn ffynonellau beiblaidd, megis Luc 22:44 a Salm 129:3.

Dim ond un pennill o waith Thomas Lewis sydd yn ein llyfrau emynau, ond mae pennill arall ar lafar gwlad yn ardal Talyllychau y dywedir mai ef a'i cyfansoddodd. Dyna'r ail bennill isod. Mae'n ddigon tebyg o ran pwnc a phatrwm i'r pennill adnabyddus, er nad yw cystal o ran ei fynegiant a'i grefft. Olrhain y camre o ardd Gethsemane i'r groes a wna'r pennill cyntaf. Mynd â'r hanes gam ymhellach a wna'r pennill llafar, a chanolbwyntio ar ddioddefaint y groes ei hun. Ac yn y ddau, y nodyn o fawl a rhyfeddod sydd uchaf.

Wrth gofio'i riddfannau'n yr ardd,
  A'i chwys fel defnynnau o waed,
Aredig ar gefn oedd mor hardd,
  A'i daro â chleddyf ei Dad,
Ei arwain i Galfari fryn,
  A'i hoelio ar groesbren o'i fodd,
Pa dafod all dewi am hyn?
  Pa galon mor galed na thodd?

Wrth gofio am goron o ddrain,
  Fe folir am finegr sur;
Fe genir am bicell mor fain,
  Clodforir am hoelion o ddur:
Bydd anthem yn dechrau o hyd
  I Brynwr y byd yn ddi-boen,
Gan saint a seraffiaid ynghyd,
  Yn bloeddio mai teilwng yw'r Oen.

THOMAS LEWIS, TALYLLYCHAU (1760-1842)

RHAGLUNIAETH FAWR Y NEF

Brawd i Thomas Charles o'r Bala oedd David Charles, Caerfyrddin, a bu yntau fel ei frawd yn ffigur dylanwadol ymhlith y Methodistiaid Calfinaidd. Ffrwyth myfyrdod Cristion aeddfed yw ei emynau. Bychan yw eu nifer, ond maent yn emynau eithriadol. Gwelwn ynddynt ddiwinydd craff yn myfyrio'n ddwfn, a'r myfyrdod hwnnw'n torri allan yn fawl a rhyfeddod. Gair sy'n digwydd yn fynych yn ei emynau yw 'synnu', ac fe'i ceir ar ddiwedd yr emyn hyderus a gorfoleddus isod. 'Bydd synnu wrth olrhain rhain' yw ffurf wreiddiol y llinell olaf ond un, llinell sy'n ein hatgoffa o'i emyn mawr arall sy'n sôn am olrhain 'troeon yr yrfa' o fryniau Caersalem.

Perchennog ffatri gwneud rhaffau oedd David Charles. Llosgwyd honno ryw ddydd Sadwrn yn 1812. Roedd i bregethu yn Nhalyllychau y diwrnod canlynol. Yn ôl yr hanes, aeth yno gan ymddwyn fel petai dim wedi digwydd. Ond yn ystod y daith, cyfansoddodd yr emyn hwn. Cyfeiriad at losgi'r ffatri, fe ddywedir, yw'r sôn am 'dynnu yma i lawr'.

Daeth rhyfel hir â Ffrainc i ben gyda threchu Bonaparte yn 1815, ond dilynwyd y fuddugoliaeth gan flynyddoedd o gyni mawr ac anniddigrwydd cymdeithasol. Mewn sasiwn yn y Bont-faen ym Mawrth 1817, bu'r Methodistiaid yn trafod eu hagwedd at y llywodraeth a'u hymateb i'r aflonyddwch mawr yn y wlad. Cyhoeddwyd eu casgliadau mewn pamffledyn, ac ynddo yr ymddangosodd yr emyn hwn am y tro cyntaf. Ymateb i argyfwng — personol neu gymdeithasol — yw'r emyn felly, a hwnnw'n ymateb llawn hyder yn y Duw sy'n teyrnasu.

Rhagluniaeth fawr y nef,
  Mor rhyfedd yw
Esboniad helaeth hon
  O arfaeth Duw:
Mae'n gwylio llwch y llawr,
  Mae'n trefnu llu y nef,
Cyflawna'r cwbwl oll
  O'i gyngor Ef.

Llywodraeth faith y byd,
  Sydd yn ei llaw;
Mae'n tynnu yma i lawr,
  Yn codi draw:
Trwy bob helyntoedd blin,
  Terfysgoedd o bob rhyw,
Dyrchafu'n gyson mae
  Deyrnas ein Duw.

Ei th'wyllwch dudew sydd
  Yn olau pur;
Ei dryswch mwyaf, mae
  Yn drefen glir:
Hi ddaw â'i throeon maith
  Yn fuan oll i ben,
Bydd synnu wrth gofio'r rhain
  Tu draw i'r llen.

DAVID CHARLES (1762-1834)

14

Y GŴR A FU GYNT O DAN HOELION

Cerdd boblogaidd gan y baledwyr 'slawer dydd oedd 'Y Cyfamod Di-sigl' gan Hugh Derfel Hughes. Cerdd o 11 pennill ydyw, yn seiliedig ar Eseia 54:10. Gŵr o Feirion oedd ei hawdur, ac yn dad-cu i Syr Ifor Williams. Un diwrnod yn 1839 yr oedd ar ben y Berwyn, a'i bladur ar ei gefn, yn dychwelyd i Landderfel o'r cynhaeaf ŷd yn sir Amwythig. Wrth ddod i olwg ei gartref ymestynnai mynyddoedd Arfon a Meirionnydd yn olygfa drawiadol o'i flaen. Aeth i fyfyrio arnynt, ac ar y newidiadau a'r colledion a ddaethai i'w gymdogaeth gyda threigl amser, a dechreuodd gyfansoddi'r gerdd hon — ei gerdd orau, ac un o oreuon y ganrif.

Disgrifiwyd y gerdd un tro fel 'cyfres o luniau dramatig'. 'Chwi gedyrn binaclau y ddaear' yw ei llinell gyntaf, ac 'Aros mae'r mynyddoedd mawr' yw thema'r bardd wrth agor y gerdd. Dywedir iddo orfod llochesu rhag storm o fellt a tharanau y diwrnod hwnnw ar y Berwyn, a chael ei atgoffa o'r storm enbyd olaf honno na fydd hyd yn oed y mynyddoedd mawr yn gallu ei gwrthsefyll. Ac wedi pwysleisio eu cadernid, ceir disgrifiadau cynhyrfus o 'ddydd barn a diwedd byd', a'r Aran a'r Wyddfa a'u tebyg yn diflannu'n ddim.

Daw trobwynt y gerdd wrth i'r bardd bwysleisio — er i'r ddaear oll ryw ddiwrnod gwympo'n deilchion — y bydd cyfamod cadarn Duw yn sefyll am byth. Ac yn yr ail hanner ceir disgrifiadau o'r Cristion yn llechu'n dawel dan nawdd y cyfamod hwnnw yng nghanol cyffro'r annuwiol yn nydd y farn; yn syllu'n ddiogel ar 'gynhebrwng holl natur'; ac yn llamu o orfoledd ar fryniau tragwyddoldeb. Pwyleisir, er bod pob cyfamod rhwng dynion yn darfod, fod cyfamod Duw yn sefyll yn dragwyddol ac yn destun cân y crediniwr yn oes oesoedd; a diweddir y gân gyda phennill sy'n weddi am gael dod i rwymau'r cyfamod tragwyddol hwnnw. Dyma bumed pennill a phennill olaf y gerdd:

Tymhestloedd o dân ac o frwmstan
  O'r nefoedd ddylifant i lawr,
Rhyferthwy o ddilyw brwmstannaidd
  Ysguba bob congl yn awr;
Y nefoedd a'r ddaear ânt heibio
  Yn adeg nos Sadwrn y byd;
Ond rhwymau'r cyfamod sydd eto
  Yn para'n ddiysgog o hyd.

Y Gŵr a fu gynt o dan hoelion
  Dros ddyn pechadurus fel fi,
A yfodd y cwpan i'r gwaelod
  Ei hunan ar ben Calfari;
Ffynhonnell y cariad tragwyddol,
  Hen gartref meddyliau o hedd,
Dwg finnau i'r unrhyw gyfamod,
  Na thorrir gan angau na'r bedd.

HUGH DERFEL HUGHES (1816-90)

DUW ABRAM, MOLWCH EF

Cymro o Dregynon yn yr hen sir Drefaldwyn oedd Thomas Olivers. Collodd ei rieni yn ifanc a thyfodd yn fachgen pur ofer ei ffyrdd. Ond cafodd dröedigaeth yn 18 oed wrth glywed George Whitefield yn pregethu ym Mryste ar Sechareia 3:2. Sylwodd John Wesley ar ei ddawn a'i sêl. Gofynnodd iddo fod yn un o'i bregethwyr teithiol, a marchogodd Olivers mwy na 100,000 milltir yn y gwaith hwnnw dros gyfnod o 25 mlynedd (a hynny i gyd ar yr un ceffyl).

Ei emyn enwocaf yw 'The God of Abraham praise'. Tua 1770 clywodd Olivers y cantor Hebreig, Leoni, yn canu'r *Yigdal* yng ngwasanaeth yr hwyr yn Synagog Fawr Duke's Place, Llundain. Mawlgan yw'r *Yigdal* a ysgrifennwyd yn 1404 ac sy'n seiliedig ar 13 o erthyglau ffydd Iddewig a luniwyd yn y 12fed ganrif. Yr hyn a wnaeth Olivers oedd aralleirio'r fawlgan o'r Hebraeg i'r Saesneg, a'i 'Christioneiddio' wrth wneud. Cafodd gan Leoni un o'r tonau y cenid y fawlgan arni yn y synagog. Rhoddodd Olivers yr enw 'Leoni' i'r dôn, a dyna'r un y cenir ei emyn mawreddog arni fynychaf hyd heddiw.

Deuddeg pennill sydd i'r emyn Saesneg, ac fe'i cyhoeddwyd yn y lle cyntaf ar ffurf taflen. O'r deuddeg, y pedwar pennill sy'n dilyn yw'r rhai mwyaf cyfarwydd i ni'r Cymry. Cafwyd mwy nag un cyfieithiad ohonynt i'r Gymraeg, ond gwaith y Wesle, Robert Williams (wedi'i ddiwygio'n bur chwyrn dros y blynyddoedd) a genir amlaf:

Duw Abram, molwch Ef,
Yr Hollalluog Dduw,
Yr Hen Ddihenydd, Brenin nef,
Duw cariad yw:
I'r Iôr, anfeidrol Fod,
Boed mawl y nef a'r llawr;
Ymgrymu wnaf, a rhof y clod
I'r Enw mawr.

Duw Abram, molwch Ef;
Ei hollddigonol ddawn
A'm cynnal ar fy nhaith i'r nef
Yn ddiogel iawn;
I eiddil fel myfi
Fe'i geilw'i hun yn Dduw;
Trwy waed ei Fab ar Galfari
Fe'm ceidw'n fyw.

Er bod y cnawd yn wan,
Er uffern fawr a'r byd,
Trwy ras mi ddof i hyfryd fan
Fy nghartref clyd;
Mi nofia'r dyfnder llaith
Â'm trem ar Iesu cu;
Af trwy'r anialwch erchyll maith
I'r Ganaan fry.

Holl dyrfa'r nef a gân
Mewn diolch yn gytûn,
I'r Tad a'r Mab a'r Ysbryd Glân —
Eu mawl sydd un:
O! henffych, Iôr di-lyth;
Clodforaf gyda hwy
Dduw Abram a'm Duw innau byth
Heb dewi mwy.

THOMAS OLIVERS (1725-99)
cyf. ROBERT WILLIAMS, BODFARI (1804-55), *n.*

PAM Y CAIFF BWYSTFILOD RHEIBUS

Yr hyn a symbylodd Williams i ganu'r emyn hwn, medd rhai, oedd gweld anifeiliaid bychain yn difa'r ŷd ar adeg o sychder. Tybed? Mwy diogel yw chwilio'r Beibl, oherwydd bardd y Beibl yw Williams, ac o'r Beibl y daw ei ddelweddau fel arfer. Llewod, a phalmwydd, a phethau felly sydd yn ei emynau yn hytrach na golygfeydd o gefn gwlad Cymru.

Roedd yn adnabod ei Feibl yn drylwyr ac yn ysgrifennu ar gyfer pobl gyffelyb. Golyga hyn, wrth gwrs, fod haenau cyfoethog o ystyr mewn emyn sy'n gudd i'r darllenydd sydd heb afael da ar y Beibl, a llawer ymadrodd yn ddiystyr neu yn agored i'w gamddehongli os nad yw'n cael ei osod yn ei gyd-destun ysgrythurol.

Yn achos llinellau agoriadol yr emyn hwn, er enghraifft, nid gwibio at y caeau ŷd o'u cwmpas y byddai meddwl aelodau'r seiadau Methodistaidd wrth eu canu, yn gymaint ag at adnodau megis Caniad Solomon 2:15 a 5:13, ac efallai Hosea 13:5,8 neu Mathew 7:15 a'u tebyg. Ac felly ymlaen trwy'r gerdd.

'Gweddi am bresenoldeb Duw' yw teitl yr emyn. Gweddïo am gawodydd o fendith ysbrydol y mae yn y pennill cyntaf. Ond nid yw hynny'n ddigon. Un ystyr posibl i 'wlad Gosen' yw 'gwlad y glaw'; a gweddi Williams yn yr ail bennill felly yw i Dduw ddod *ei hunan* i wlad y cawodydd. Mae'r darlun o'r Cristion fel alltud a phererin yn un cyffredin yng ngwaith Williams, a dyna a geir yma. Boed dan gawodydd Gosen yn yr Aifft (Genesis 47:6) neu wrth afonydd Babilon (Salm 137), 'draw mae ei enedigol wlad'. Ac yn y pennill olaf, daw'r pererinion yn sydyn i olwg y wlad honno a'i Brenin.

Pam y caiff bwystfilod rheibus
    Dorri'r egin mân i lawr?
Pam caiff blodau peraidd ieuainc
    Fethu gan y sychder mawr?
Dere â'r cawodydd hyfryd
    Sy'n cynyddu'r egin grawn,
Cawod hyfryd yn y bore,
    Ac un arall y prynhawn.

Gosod babell yng ngwlad Gosen,
    Dere, Arglwydd, yno d'hun;
Gostwng o'r uchelder golau,
    Gwna dy drigfan gyda dyn:
Trig yn Seion, aros yno,
    Lle mae'r llwythau'n dod ynghyd,
Byth na 'mad oddi wrth dy bobol,
    Nes yn ulw yr elo'r byd.

Blinais ar afonydd Babel,
    Nid oes yno ond wylo i gyd,
Llais telynau hyfryd Seion
    Sydd yn cyson dynnu 'mryd:
Tyrd â ni yn dorf gariadus
    O gaethiwed Babel fawr,
Ac nes bôm ar fynydd Seion
    N'ad in' osod glin i lawr.

Dacw'r Brenin yn ei degwch,
    Wele ei Briod wrth ei glun,
Gwedd ei wyneb sy'n rhagori
    'Mhell ar wedd wynepryd dyn;
Dyma ddydd, dydd ei ddyweddi,
    Dyma'r briodasol wledd,
Dyma'r dydd caiff pererinion
    Yfed o'i dragwyddol hedd.

WILLIAM WILLIAMS, PANTYCELYN (1717-91)

FE WELIR SEION FEL Y WAWR

Un o'r nythaid rhyfeddol o emynwyr a gododd yng nghyffiniau tref Llanymddyfri yn oes Williams Pantycelyn oedd Morgan Rhys, Llanfynydd. Un o Gil-y-cwm ydoedd yn wreiddiol, a bu am flynyddoedd yn athro yn ysgolion cylchynol Griffith Jones, Llanddowror. Dywedir fod mwy o *ganu* wedi bod ar ei emynau ef nag ar rai neb arall. Mae'n wir dweud hefyd nad oes neb wedi dioddef mwy dan law golygyddion casgliadau emynau. Yn aml clytwaith o benillion wedi'u dwyn ynghyd o wahanol emynau yw'r darnau o'i waith sydd yn ein llyfrau emynau.

Mae golygyddion llyfrau emynau wedi bod dan lach yn aml, ac yn gyfiawn felly. Ond nid drwg o beth yw'r cwbl o'u gwaith golygyddol ychwaith. Cymwynas yw llawer o'u gwaith yn cywiro iaith a sillafu ac yn gwella llinellau cloff yma ac acw. Enghraifft o newid sylweddol gan olygydd, a hynny er gwell, yw'r pennill isod. Yr eglwys Gristnogol yw 'Seion', wrth gwrs, a phrin bod angen dweud mai teitl ar gyfer Iesu Grist yw 'Adda'r Ail' yn y llinell olaf. Ond darlleniad gwreiddiol y ddwy linell olaf oedd 'Yn y cyfiawnder dwyfol byth,/Saif yn y diwedd yn ei rhan'. Ychwanegiad gan olygydd ymhen blynyddoedd wedi marw'r emynydd yw'r sôn am 'Adda'r Ail', felly, ond mae'n deitl hynod addas i'w ddefnyddio mewn pennill am atgyfodiad y saint (gw. 1 Corinthiaid 15).

Adroddir hanesyn gan Dr Gomer Roberts am hen gymeriad duwiol ym Mhont-rhyd-y-fen yn gweddïo un tro. Newydd ganu'r pennill hwn — un o'i hoff benillion — yr oeddynt, a hynny'n wresog, gan ddyblu a threblu'r hanner olaf. 'Efallai iddo gael ei arwain ar gyfeiliorn, yng ngwres ei erfyniadau, gan y diffyg hwnnw sy'n peri i rai ym Morgannwg roi'r aitsh i mewn lle nad oes mo'i heisiau, a'i hepgor pan fyddo'i hangen,' meddai Dr Roberts. Ond beth bynnag y rheswm, dyma'r hen weddïwr yn gwneud cawl o ddelwedd yr emynydd. 'Diolch i Ti, O Arglwydd,' meddai'n wresog, 'diolch i Ti taw Adda'r *Haul* wyt Ti, ac nid Adda'r *lleuad!*' Chwarae teg iddo! Mae lle mawr inni ddiolch fod yr Iesu yn Haul Cyfiawnder yn ogystal ag yn Adda'r Ail.

> Fe welir Seion fel y wawr,
>   Er saled yw ei gwedd,
> Yn dod i'r lan o'r cystudd mawr,
>   'N ôl agor pyrth y bedd;
> Heb glaf na chlwyfus yn eu plith,
>   Yn ddisglair fel yr haul,
> Yn y cyfiawnder dwyfol pur
>   A wnaed gan Adda'r Ail.

MORGAN RHYS (1716-79), *n.*

ER DOD O HYD I MARA

Yn Llundain un diwrnod ganol y ganrif ddiwethaf, roedd paentiwr wrthi uwchben tân yn cymysgu lliwiau ag olew. Ar ddamwain syrthiodd peth o'r olew i'r tân. Saethodd y fflamau a llosgi ei ddwylo a'i wyneb yn ddychrynllyd. Aed ag ef i Ysbyty Bartholomeus gerllaw, ac yno y bu am fisoedd lawer yn dioddef yn enbyd.

Robert Owen oedd enw'r paentiwr — neu 'Eryron Gwyllt Walia', a rhoi iddo ei enw barddol. Roedd yn nai i'r pregethwr grymus Robert Roberts, Clynnog, a bu ef ei hun yn aelod amlwg gyda'r Methodistiaid Calfinaidd yn Llundain. Yn ei gyflwr dychrynllyd, ac yntau'n disgwyl marw, ysgrifennodd gerdd hir — 'Cerdd yr Arglwydd mewn Gwlad Ddieithr'. Dywed amdani ei fod wedi'i chyfansoddi, 'gan mwyaf, yng ngwyliadwriaethau y nos, pan oeddwn yn methu cysgu gan arteithiau cnawd llosgedig'.

Mae'r pennill cyntaf — 'Er dod o hyd i Mara' — yn gosod thema a chywair y gerdd ar ei hyd. Cyfeiriad sydd yma at yr Israeliaid yn dod at ddyfroedd chwerw Mara, a Duw yn eu troi'n beraidd eu blas (Exodus 15:23-25). Hyder yw prif nodwedd y gerdd — hyder fod Duw ar ei orsedd ac yn dwyn ei amcanion i ben, a hyder ei fod yn Dad trugarog i'w blant, â phob peth yn cydweithio er daioni i'r rhai sy'n ei garu, pa mor ddyrys bynnag yr amgylchiadau ar y pryd.

Detholwyd nifer o'r penillion i'n llyfrau emynau. Dyma bedwar pennill o ran gyntaf y gerdd. Prin bod angen dweud, o gofio'r cysylltiadau, fod ystyr arbennig i'r gair 'tân' yn y pennill olaf.

Er dod o hyd i Mara,
  A'i dyfroedd chwerw'u blas,
Mae'r Iesu i'w pereiddio,
  Melusa hwynt â'i ras:
Lle bynnag byddo 'Mhrynwr,
  Pob storm yn dawel fydd,
Pob gŵyr a wneir yn uniawn,
  Pob t'wyllwch droir yn ddydd.

Os cyfyd gwynt tymhestlog,
  Os rhua tonnau'r môr,
Mae'r Hwn mae 'ngobaith ynddo,
  A'i enw'n gadarn Iôr;
Yng nghanol pob rhyferthwy
  Gall Iesu unrhyw awr,
Â gair ostegu'r cyfan,
  A gwneud tawelwch mawr.

Trwy lawer ffordd ddisathr,
  Trwy lwybrau dyrys du,
Yn aml mae yn arwain
  Ei blant i'r Ganaan fry:
Rai prydiau i'r anialwch
  Eu galw wna ar g'oedd —
Ond fe ddaw dydd ceir gweled
  Mai'r ffordd unionaf oedd.

Beth bynnag wnelo'n gerbyd
  Pan at ei blant yn dod,
Ai'r gwynt, ai'r tân, ai'r cwmwl,
  Er lles caiff iddynt fod:
Ac er eu holl amheuon,
  A'u hofnau o bob rhyw,
Efe ei hun sydd ynddo,
  A digon, digon yw.

ROBERT OWEN ('Eryron Gwyllt Walia'; 1803-70)

PE BYDDAI'R MOROEDD MAWRION

Ymhlith emynau oes y diwygiadau ceir llawer o rai llafar gwlad. Penillion yw'r rhain sydd heb eu cynnwys yn y casgliadau emynau 'swyddogol' — yn aml am eu bod braidd yn 'werinaidd' eu naws, neu'n amrwd neu'n ystrydebol eu mynegiant. *Gwreichion y Diwygiadau* yw teitl un casgliad ohonynt a gyhoeddwyd ar dro'r ganrif, ac mae nifer yn parhau ar gof gwlad.

Un ddelwedd sydd i'w gweld mewn ambell 'emyn gwlad' yn y ganrif ddiwethaf yw un o'r môr wedi'i droi'n inc a'r byd (neu weithiau'r nefoedd) yn bapur. Pe byddai hynny'n digwydd a phe byddai pob enaid byw wrthi'n ysgrifennu gan ddefnyddio coed a gwellt y maes fel offer, amhosibl hyd yn oed wedyn fyddai mynegi'n llawn gariad Duw yng Nghrist. Hen thema yw hon, yn ddelwedd y gellir ei holrhain yn ôl yn y pen draw i lenyddiaeth yr India dros 2,000 o flynyddoedd yn ôl, lle y'i defnyddir yng nghyd-destun duwiau paganaidd.

Ymddangosodd y pennill Cymraeg cyntaf imi ei weld yn defnyddio'r ddelwedd hon yn 1826, mewn marwnad i William Williams, Hafod-y-rhisgl — un o arweinwyr y Methodistiaid ym Meddgelert adeg 'Diwygiad Beddgelert' yn 1817. Cipiwyd y pennill o'r farwnad a'i yrru ar led fel emyn llafar gwlad. Ond y pennill mwyaf poblogaidd o'r fath ar lafar yw'r un a welais am y tro cyntaf mewn casgliad bychan o emynau yn 1849. Yn ei ddilyn yno ceir dau bennill arall sy'n datblygu'r thema ymhellach. Dyma'r tri phennill:

Pe byddai'r moroedd mawrion
  Yn inc o'r dua'i liw,
A'r tywod dirifedi
  I gyd yn ddynion byw,
A'r byd i gyd yn bapur,
  Pob un â'i 'sgrifen-bin,
Ni allent gynnwys cariad
  Yr Oen fu ar y bryn.

Pe byddai sêr y nefoedd
  I gyd yn fydoedd maith,
A'r rhain yn llawn angylion
  A dynion o bob iaith,
Pob un â'i euraid delyn
  Yn canu'r nefol dôn,
Ni allent ganu digon
  Am haeddiant gwaed yr Oen.

Pe byddai pob creadur
  A greodd Duw ar lawr,
Holl 'hediaid y ffurfafen,
  A physg y moroedd mawr,
Dyffrynnoedd a mynyddoedd,
  Y coedydd a'u holl ddail,
Byth, byth ni chanent ddigon
  O glod i Adda'r Ail.

BYWHA DY WAITH

Cododd mudiad cenhadol grymus yn sgîl Diwygiad Mawr y 18fed ganrif, ac yn ystod y ganrif ddiwethaf anfonwyd cannoedd o genhadon o'r ynysoedd hyn i bob rhan o'r byd. Mae gan ddau o emynau cenhadol enwocaf y Saesneg gysylltiadau Cymreig cryf. Y naill yw emyn Reginald Heber, 'From Greenland's icy mountains'. Roedd tad-yng-nghyfraith Heber yn ficer Wrecsam, ac ar fore'r Sulgwyn 1819 roedd i draddodi pregeth genhadol yn eglwys y plwyf. Yn y ficerdy y diwrnod blaenorol, gofynnodd i Heber lunio emyn addas i'w ganu yn yr oedfa, a'r emyn hwn oedd ffrwyth y cais.

Yr emyn arall yw 'Dros y bryniau tywyll niwlog' gan Bantycelyn, a ysgrifennwyd yn wreiddiol yn Saesneg ar gais Arglwyddes Huntingdon tua 1771 — ac a ysbrydolwyd, yn ôl un stori, gan fynydd Carn Ingli ger Trefdraeth yn sir Benfro, ac yn ôl stori arall, gan fynyddoedd blaenau Cwm Rhondda. Aeth emyn Williams Pantycelyn i fri mawr yn sgîl ei ganu yng nghyfarfod sefydlu Cymdeithas Genhadol Llundain yn 1795, ac yn nes ymlaen yr un flwyddyn ymddangosodd cyfieithiad Cymraeg ei fab ohono.

Cymdeithas a gafodd gefnogaeth llawer o'r Cymry oedd Cymdeithas Genhadol Llundain. Ond yn 1840 penderfynodd y Methodistiaid Calfinaidd sefydlu eu cymdeithas genhadol eu hun, gyda John Roberts ('Minimus') fel ei hysgrifennydd cyntaf. Yn Nhachwedd 1840 gadawodd y cenhadwr cyntaf am Fryniau Casia yn yr India, a'r un mis ymddangosodd emyn Minimus, 'Bywha dy waith', yn *Y Drysorfa* o dan yr adnod Habacuc 3:2.

Gweddi ddwys yw'r emyn, sy'n pwysleisio'n ddibyniaeth lwyr ar Dduw am bob cynnydd. Dechreua gyda'r weledigaeth genhadol fydeang, ond fe'n harweinir gam wrth gam i fan allweddol pob adfywiad, sef calon yr unigolyn — 'fel dilyn afon, nid o'r mynydd i'r môr, ond o'r môr i lygad y ffynnon'.

Bywha dy waith, O! Arglwydd mawr,
Dros holl derfynau daear lawr,
Trwy roi tywalltiad nerthol iawn
O'r Ysbryd Glân, a'i ddwyfol ddawn.

Bywha dy waith o fewn ein tir,
Arddeliad mawr fo ar y gwir;
Mewn nerth y bo'r efengyl lawn,
Er iachawdwriaeth llawer iawn.

Bywha dy waith o fewn dy dŷ,
A gwna dy weision oll yn hy:
Gwisg hwynt â nerth yr Ysbryd Glân,
A'th air o'u mewn fo megis tân.

Bywha dy waith, O! Arglwydd mawr,
Yn ein calonnau ninnau nawr,
Er difa pob rhyw bechod cas
A chynnydd i bob nefol ras.

JOHN ROBERTS ('Minimus'; 1808-80)

AI AM FY MEIAU I?

Am wyth un bore dydd Mawrth, darllenai John Elias o Eseia 53 yn y ddyletswydd deuluaidd. Y noswaith honno, ac yntau'n gwisgo i fynd allan i gadw seiat, deallodd gan ei wraig fod Mary y forwyn am ei weld. Aeth ati i'r gegin. Mae'n amlwg fod sylwadau John Elias y bore hwnnw wedi bod yn gwasgu arni. Edrychodd ym myw ei lygaid a gofyn yn ddifrifol, 'Ai am fy meiau i y dioddefodd Iesu mawr?' Effeithiodd ei chwestiwn yn ddwys arno. Nid atebodd ar y pryd; ond y noswaith honno ar ei ffordd i'r seiat cyfansoddodd ei emyn mwyaf cyfarwydd.

Sut mae'n ateb y forwyn yn yr emyn? Fe geir yr ateb mewn ffordd yn y disgrifio ffeithiol sy'n annog rhywun i edrych allan at Grist. Fe'i ceir hefyd yn y pwyslais cryf ar ddigonolrwydd yr Iawn — 'Effeithiolrwydd Angau Crist' yw teitl yr emyn. Ond craidd ei ateb yw'r sôn am 'yr Ethiop du'.

Nid cyfeiriad braidd yn hiliol sydd yma (fel yr awgryma rhai), ond cyfeiriad ysgrythurol. Cyfarfyddwn â'r Ethiop hwn yn Actau 8. Mae Philip, un o arweinwyr yr eglwys fore, yn ei glywed yn darllen o Eseia 53 — yr union bennod y darllenasai Elias ohoni y bore hwnnw — a sonia wrtho am yr Iesu. Wedi clywed y newyddion da, gofynna'r Ethiop a oedd unrhyw rwystr iddo gael ei fedyddio. 'Dim,' meddai Philip, 'os wyt yn credu â'th holl galon.' A chydia Elias y digwyddiad hwn wrth adnod arall yn Eseia sy'n sôn am olchi pechodau 'cyn wynned â'r eira' (1:18). Dyma ateb Elias i'r forwyn felly: 'Cred yn yr Arglwydd Iesu Grist, a chadwedig fyddi.'

Ai am fy meiau i
Dioddefodd Iesu mawr,
Pan ddaeth yng ngrym ei gariad Ef
O entrych nef i lawr?

Cyflawnai'r gyfraith bur,
Cyfiawnder gafodd Iawn;
A'r ddyled fawr, er cymaint oedd,
A dalodd Ef yn llawn.

Dioddefodd angau loes
Yn ufudd ar y bryn;
A'i waed a ylch yr Ethiop du
Yn lân fel eira gwyn.

Bu'n angau i'n hangau ni
Wrth farw ar y pren;
A thrwy ei waed y dygir llu,
Trwy angau, i'r nefoedd wen.

Pan grymodd Iesu ei ben,
Wrth farw yn ein lle,
Agorodd ffordd, pan rwygai'r llen,
I bur drigfannau'r ne'.

Gorchfygodd uffern ddu,
Gwnaeth ben y sarff yn friw;
O'r carchar caeth y dygir llu,
Trwy ras, i deulu Duw.

JOHN ELIAS (1774-1841)

BWYD I'R ENAID, BARA'R BYWYD

Gyda'r Diwygiad Methodistaidd, a Williams Pantycelyn yn arbennig, y daw'r emyn Cymraeg i'w oed. Bu peth ysgrifennu emynau cyn hynny, yn enwedig rhai i'w canu yn oedfa'r cymun; ond mathau eraill o ganu crefyddol biau'r llwyfan hyd at ganol y 18fed ganrif, sef mydryddiadau o'r Salmau ar y naill law, a phenillion gwerinaidd megis halsingod Dyfed a chwndidau Morgannwg ar y llaw arall. Gŵr o wlad Pantycelyn, Rhys Prichard — 'hen Ficer duwiol Llanymddyfri' — yw cynrychiolydd enwocaf y math olaf hwn o ganu.

'Bardd Cristionogol y werin anllythrennog oedd y Ficer Prichard', meddai Gwenallt, 'a'r hyn a wnaeth . . . oedd troi darnau o'r Beibl a'r llyfrau Cymraeg [crefyddol] eraill yn benillion poblogaidd fel y gallai'r aradrwr eu canu wrth yr aradr, y gwehydd wrth ei wennol, a'r teithiwr ar ei daith.' Er bod ambell ddarn o'i eiddo yn ein casgliadau emynau, nid emynau mo gynnwys ei gyfrol enwog *Cannwyll y Cymry,* ond cerddi syml a gafaelgar i hyfforddi'r bobl yng ngwirioneddau mawr y Ffydd, eu cynghori, a'u cynorthwyo yn eu bywyd defosiynol.

Bu eraill heblaw'r Ficer yn ceisio goleuo tywyllwch ysbrydol Cymru ei ddydd. Yn 1630 cyhoeddwyd yr argraffiad poced cyntaf o'r Beibl Cymraeg — y 'Beibl Bach' neu'r 'Beibl Coron'. Beiblau mawr drud at wasanaeth eglwysi oedd yr argraffiadau blaenorol, ond dyma yn awr Feibl hwylus i'r teulu. Un o gerddi enwocaf y Ficer Prichard yw ei gerdd hir 'Cyngor i Wrando a Darllen Gair Duw', cân a ysgrifennwyd er mwyn annog ei gyd-wladwyr i brynu Beibl Bach 1630, a dysgu ei ddarllen. Dyma rai penillion ohoni:

Bwyd i'r enaid, bara'r bywyd,
Gras i'r corff, a maeth i'r ysbryd,
Lamp i'r droed, a ffrwyn i'r genau,
Yw Gair Duw, a'r holl 'Sgrythurau.

Y Gair yw'r had sy i'n hatgenhedlu
Yn blant i Dduw, yn frodyr Iesu,
Yn deulu'r nef, yn deml i'r Ysbryd,
Yn wir drigolion tir y bywyd.

Heb y Gair ni ellir 'nabod
Duw, na'i natur, na'i lân hanfod,
Na'i Fab Crist, na'r sanctaidd Ysbryd,
Na rhinweddau'r Drindod hyfryd.

Crist sy'n erchi it' lafurio
Am y Gair, â'th draed a'th ddwylo,
Mwy nag am y bwyd a dderfydd,
O chwenychi fyw'n dragywydd.

Gwerth dy dir, a gwerth dy ddodrefn,
Gwerth dy grys oddi am dy gefn,
Gwerth y cwbwl oll sydd gennyd,
Cyn y b'ech heb Air y bywyd.

Gwell nag aur, a gwell nag arian,
Gwell na'r badell fawr na'r crochan;
Gwell dodrefnyn yn dy lety
Yw'r Beibl Bach na dim a feddi.

RHYS PRICHARD (1579?-1644)

WRTH EDRYCH, IESU, AR DY GROES

Pan gewch gydweithio rhwng 'sylfaenydd emynyddiaeth Saesneg' a
'phêr ganiedydd Cymru', nid rhyfedd fod yr emyn a ddaw o'u dwylo
yn un arbennig iawn. Dafydd Jones o Gaeo y meddyliwn amdano fel
arfer fel 'cyfieithydd Watts'. Bu ei gyfieithiad ef o waith Watts,
Salmau Dafydd (1753), yn llyfr emynau i'r Annibynwyr a'r
Bedyddwyr am dros hanner canrif, gan ddisodli Salmau Cân
Edmwnd Prys yn eu plith. Ond yma Williams Pantycelyn sy'n rhoi
gwisg Gymraeg i emyn mwyaf Isaac Watts, ac un o emynau mwyaf
poblogaidd y Saesneg, 'When I survey the wondrous cross'. Emyn
wedi'i ysbrydoli gan un Watts yw emyn Williams yn hytrach na
chyfieithiad manwl ohono; ac fel Watts, mae Pantycelyn wedi
llwyddo i gynhyrchu emyn llyfn, dwys a hynod gofiadwy.

'Croeshoelio'r byd trwy groes Crist' yw teitl yr emyn Saesneg.
Mae'r byd yn broblem fawr i'r Cristion, wrth gwrs — nid y byd
creëdig ond y 'byd' llygredig hwnnw sy'n gartref i 'chwant y cnawd,
a chwant y llygaid, a balchder y bywyd' (1 Ioan 2:16). Yr ateb, fel y
dengys yr emyn hwn mewn ffordd mor odidog, yw troi ein golygon
at Grist a myfyrio ar ei berson a'i waith. Dyma'r ffordd i gryfhau ein
cariad tuag ato. Emynydd arall, William Edwards o'r Bala, sy'n sôn
am gymryd 'golwg mynych ar y groes, lle talwyd Iawn mewn pryd'.
Dyna gyfrinach fawr y bywyd Cristnogol.

Wrth edrych, Iesu, ar dy groes,
A meddwl dyfnder d'angau loes,
Pryd hyn rwyf yn dibrisio'r byd,
A'r holl ogoniant sy ynddo i gyd.

N'ad im ymddiried tra fwyf byw,
Ond yn dy angau Di, fy Nuw;
Dy boenau Di a'th farwol glwy'
Gaiff fod yn ymffrost imi mwy.

Dyma lle'r ydoedd ar brynhawn
Rasusau yn disgleirio'n llawn:
Mil o rinweddau yn gytûn
Yn prynu'r gwrthgiliedig ddyn.

Poen a llawenydd dan y loes,
Tristwch a chariad ar y groes;
Ble bu rhinweddau fel y rhain
Erioed o'r blaen dan goron ddrain?

Myfi aberthaf er dy glod
Bob eilun sydd o dan y rhod:
Ac wrth fyfyrio ar dy waed,
Fe gwymp pob delw dan fy nhraed.

ISAAC WATTS (1674-1748)
ef. WILLIAM WILLIAMS, PANTYCELYN (1717-91)

Y NEFOEDD UWCH FY MHEN

Hwsmon ar ffarm gwraig weddw dduwiol ym mhlwyf Llanelidan ym mhen uchaf Dyffryn Clwyd oedd Ehedydd Iâl ar un adeg. Bu merch iddi, Ruth, yn dihoeni'n hir o'r darfodedigaeth. Un prynhawn daeth ei feistres at Ehedydd Iâl a dweud, 'Mae Ruth yn gwanychu'n gyflym, ac yn fwy isel ei hysbryd ac ofnus. Roedd hi'n dweud gynnau fod mellt gorchmynion Sinai yn peri dychryn iddi. Ewch i'r llofft a cheisio codi'i chalon.'

Aeth i fyny ati, a dychryn wrth weld mor wan a digalon ydoedd. 'Oes gennych chi adnod neu bennill i'w adrodd i mi?' gofynnodd y ferch; 'rwy'n ddigalon iawn heddiw.' Gofynnodd Ehedydd Iâl am gael mynd allan am ychydig i feddwl. Aeth at bren onnen mawr mewn cae bach yn ymyl y tŷ, gan ddweud yn ddistaw wrtho'i hun ar y ffordd, 'Pob cnawd sydd wellt' (Eseia 40:6). Wedi gweddïo dros y ferch, pwysodd yn ôl yn erbyn y goeden a chyfansoddi'r pedair llinell gyntaf sydd ym mhennill olaf ei emyn mawr. Aeth yn ôl at wely'r ferch a'u hadrodd wrthi. Llonnodd drwyddi, a bu'r llinellau o gysur mawr iddi yn yr ychydig amser hyd ei marw.

Ychwanegodd y ddwy linell olaf at y pennill ychydig yn nes ymlaen, a'r pedwar pennill o'i flaen ymhen blynyddoedd. Stori tröedigaeth Gristnogol yw'r gerdd, a honno'n cael ei hadrodd yn ddramatig ac yn gyffrous gan dynnu, yn ddiau, ar ei brofiad stormus ef ei hun o argyhoeddiad a thröedigaeth.

Y nefoedd uwch fy mhen
  A dduodd fel y nos,
Heb haul na lleuad wen
  Nac unrhyw seren dlos,
A llym Gyfiawnder oddi fry
Yn saethu mellt o'r cwmwl du.

Cydwybod euog oedd
  Yn rhuo dan fy mron —
Mi gofia'i chwerw floedd
  Tra ar y ddaear hon —
Ac yn fy ing ymdrechais ffoi,
Heb wybod am un lle i droi.

Mi drois at ddrws y Ddeddf
  Gan ddisgwyl cael rhyddhad;
Gofynnais iddi'n lleddf
  Roi imi esmwythâd:
'Ffo am dy einioes', ebe hi,
'At Fab y Dyn i Galfari!'

Gan ffoi, ymdrechais ffoi
  Yn sŵn taranau ffroch,
Tra'r mellt yn chwyrn gyffroi
  O'm hôl fel byddin goch;
Cyrhaeddais ben Calfaria fryn,
Ac yno gwelais Iesu gwyn.

Er nad yw 'nghnawd ond gwellt
  A'm hesgyrn ddim ond clai,
Mi ganaf yn y mellt,
  Maddeuodd Duw fy mai:
Mae Craig yr Oesoedd dan fy nhraed
A'r mellt yn diffodd yn y gwaed.

WILLIAM JONES ('Ehedydd Iâl'; 1815-99)

ARGLWYDD IESU, ARWAIN F'ENAID

Fel y gweddai i ŵr o Gaergybi, mae emynau S. J. Griffiths yn llawn delweddau megis tonnau a chreigiau. Mae'n amlwg, fel yr awgryma ei enw barddol, fod swyn arbennig iddo yn y môr. Ni welir hyn yn gliriach nag yn ei emyn adnabyddus sy'n darlunio'r 'graig ni syfl ym merw'r lli', emyn y dywedir iddo ei gyfansoddi pan oedd yn sefyll ar y graig uwchben traeth Porthdafarch yng Nghaergybi.

Dywedir weithiau i'r emyn gael ei lunio pan oedd mewn trallod ar ôl colli ei fab bychan, ond nid oes sail i hyn gan i'r emyn ymddangos mewn print cyn marwolaeth ei fab yn 1880. Mae efelychiad Ieuan Gwyllt o emyn yr Americanwr Lewis Hartsough, 'Mi glywaf dyner lais', yn un o'n hemynau enwocaf. Yn 1875 ymddangosodd cyfieithiad Ieuan o un arall o emynau Hartsough, a bu cryn ganu arno yng ngogledd Cymru yn ystod 1875-76. Emyn am Graig yr Oesoedd ydyw, ac yn dechrau 'Tyn fi, Iesu, o bob tonnau at y Graig sydd uwch na mi'. Mae'r ddelwedd o graig yn un ddigon cyffredin mewn emynau, wrth gwrs, a ffynonellau beiblaidd sydd i'w gyfeiriadau yn y pen draw, megis Salm 61:2 ac Exodus 33:21-22; ond dichon fod emyn Hartsough ym meddwl Morswyn hefyd wrth iddo lunio ei emyn ef.

Emyn llawn ffydd ydyw. Hyd yn oed pan fydd creigiau'r byd hwn yn hollti, fe saif Craig yr Oesoedd, ac fe saif hyd dragwyddoldeb. Ac mae cloi ei ddau bennill gyda'r un llinell yn pwysleisio hyder yr emynydd yn yr Arglwydd a osododd ei draed ar y graig ac a roddodd gân newydd yn ei enau (Salm 40:2-3).

> Arglwydd Iesu, arwain f'enaid
>   At y Graig sydd uwch na mi,
> Craig safadwy mewn tymhestloedd,
>   Craig a ddeil yng ngrym y lli;
> Llechu wnaf yng Nghraig yr Oesoedd,
>   Deued dilyw, deued tân,
> A phan chwalo'r greadigaeth,
>   Craig yr Oesoedd fydd fy nghân.
>
> Pan fo creigiau'r byd yn rhwygo
>   Yn rhyferthwy'r Farn a ddaw,
> Stormydd creulon arna' i'n curo,
>   Cedyrn fyrdd o'm cylch mewn braw;
> Craig yr Oesoedd ddeil pryd hynny,
>   Yn y dyfroedd, yn y tân:
> Draw ar gefnfor tragwyddoldeb
>   Craig yr Oesoedd fydd fy nghân.

SAMUEL JONATHAN GRIFFITH ('Morswyn'; 1850-93)

MAE DUW YN LLOND POB LLE

Un o bregethwyr mawr y ganrif ddiwethaf oedd David Jones Treborth, ac yn frawd i bregethwr mwy byth, sef John Jones Tal-y-sarn. Un tro pan aeth David Jones ar daith bregethu yn sir Aberteifi ar adeg cynhaeaf, bu raid i un o arweinwyr y Methodistiaid yno ysgrifennu at Gwrdd Misol Arfon yn gofyn iddynt ei alw adref am na fyddai fel arall 'nac ŷd na lloffion erbyn y gaeaf. Y mae'r holl wlad yn crwydro ar ôl Mr Jones, wedi anghofio popeth. Mae'r bobl wedi meddwi gan y gwin melys y mae'n ei ollwng o'i gostrel.'

Yn Chwefror 1848 bu farw ei ferch Ann yn 13 oed, ac yn ei hiraeth ar ei hôl ysgrifennodd yr emyn isod. Saith pennill oedd iddo pan ymddangosodd gyntaf, a phob un yn gorffen gyda'r datganiad 'Nesáu at Dduw sy dda i mi' (Salm 73:28). Y tri phennill cyntaf yw'r rhai mwyaf adnabyddus. Ynddynt mae'r emynydd yn pwysleisio gwahanol agweddau ar gymeriad Duw, a symudant fel gorymdaith hyderus a mawreddog.

Wedi dechrau yn y man cywir, gyda Duw ei hun, rhoir sylw o bennill 4 ymlaen i ragluniaethau Duw ac anwadalwch pethau'r byd hwn. Mae naws mwy personol i'r penillion hyn. Cynhwysir un yma, sef pennill 6, sy'n cyfeirio'n benodol at ei drallod ar farwolaeth ei ferch. Ond yma eto, trwy'r cwbl, trewir nodyn hyderus. Yn wir, mae'r emyn drwyddo draw yn enghraifft o wirionedd yr adnod 'Nesewch at Dduw, ac efe a nesâ atoch chwi' (Iago 4:8).

Honnir mai craig yng nghanol Afon Menai lle saif un o golofnau Pont Britannia yw'r 'graig ni syfl ym merw'r lli'. Ond dadleua eraill mai craig yn Afon Lledr ger cartref ei blentyndod yn Nhanycastell, Dolwyddelan, oedd ym meddwl yr emynydd wrth lunio'r llinell. Mae'n werth nodi hefyd mai un o hoff emynau ei ferch yn ei chystudd olaf oedd 'Am graig i adeiladu.'

Mae Duw yn llond pob lle,
   Presennol ym mhob man;
Y nesaf yw Efe
   O bawb at enaid gwan;
Wrth law o hyd i wrando cri:
'Nesáu at Dduw sy dda i mi.'

Yr Arglwydd sydd yr un,
   Er maint derfysga'r byd;
Er anwadalwch dyn,
   Yr un yw Ef o hyd;
Y graig ni syfl ym merw'r lli:
'Nesáu at Dduw sy dda i mi.'

Yr Hollgyfoethog Dduw,
   Ei olud ni leiha;
Diwalla bob peth byw
   O hyd â'i 'wyllys da:
Un dafn o'i fôr sy'n fôr i ni:
'Nesáu at Dduw sy dda i mi.'

Mewn trallod, at bwy'r af,
   Ar ddiwrnod tywyll du?
Mewn dyfnder, beth a wnaf,
   A'r tonnau o'm dau tu?
O fyd! yn awr, beth elli di?
'Nesáu at Dduw sy dda i mi.'

DAVID JONES, TREBORTH (1805-68)

DAETH FFRYDIAU MELYS IAWN

'Y de sy'n cychwyn a'r gogledd sy'n cadw' meddir, ac mae elfen o hynny yn hanes emynyddiaeth Cymru. Bu ffrwydriad o emynau mawr yn y de yn y 18fed ganrif, ond erbyn hanner cyntaf y ganrif ddiwethaf y gogledd yw canolbwynt y gweithgarwch emynyddol. Mae emynau'r gogledd yn fwy cabolledig; mae ynddynt fwy o gyffyrddiadau cynganeddol (dan ddylanwad y canu carolaidd); ond yr un pryd collwyd peth o dân eirias emynau'r Diwygiad Mawr.

Un o emynwyr gorau'r gogledd oedd Pedr Fardd. Brodor o blwyf Dolbenmaen ydoedd, ond fel llawer gogleddwr arall treuliodd y rhan fwyaf o'i oes yn Lerpwl. Ysgrifennodd lawer o'i emynau ar gyfer gwyliau blynyddol ysgolion Sul y Methodistiaid Calfinaidd yn Lerpwl. Cyhoeddai ddetholiadau bychain o emynau i'w defnyddio yn y gwyliau hyn, ac yn yr un ar gyfer 1828 y cynhwyswyd ei emyn mawr ar y testun 'Rhyfedd Ras'. Emyn mewn dwy ran ydyw, ac yn wyth pennill i gyd. Detholwyd yma y ddau bennill cyntaf a dau bennill o'r ail hanner.

Un o arloeswyr y gwaith o lunio casgliadau emynau oedd Robert Jones, Rhos-lan, gyda'i *Grawnsypiau Canaan* (1795). Cynhwyswyd dau bennill cyntaf yr emyn hwn yng nghasgliad Robert Jones. Dim ond ugain oed oedd Pedr Fardd pan gyhoeddwyd *Grawnsypiau Canaan,* ond dywedir iddo gyfansoddi'r ddau bennill cyn ei fod yn llawn bymtheg oed!

Daeth ffrydiau melys iawn,
   Yn llawn fel lli,
O ffrwyth yr arfaeth fawr
   Yn awr i ni:
Hen iachawdwriaeth glir
Aeth dros y crindir cras;
Bendithion amod hedd,
   O! ryfedd ras!

Fe gymerth Iesu pur
   Ein natur ni;
Enillodd Ef i'w saint
   Bob braint a bri:
Gadawai'r nef o'i fodd,
Fe gym'rodd agwedd gwas:
Ffrwyth y cyfamod hedd,
   O! ryfedd ras!

Boed clod i'n Prynwr rhad,
   Ein Ceidwad cu;
Fe dorrodd rym yr hen
   Iorddonen ddu:
Gorchfygodd angau cryf,
Er awch ei gleddyf glas,
A drylliodd rwymau'r bedd,
   O! ryfedd ras!

Wrth orffwys ar yr Iawn,
   Ni gawn i gyd
Felysion ffrwythau'r groes
   Drwy'n hoes o hyd:
Mae yma hyfryd win
I flin, o beraidd flas,
Maddeuant pur a hedd,
   O! ryfedd ras!

PETER JONES ('Pedr Fardd'; 1775-1845)

MEWN ANIALWCH RWYF YN TRIGO

Darlun llywodraethol yng ngwaith Williams Pantycelyn yw'r un o'r Cristion fel pererin yn teithio trwy anialdir y byd tua'i gartref nefol. Ffynhonnell y darlun yw taith Israel trwy'r anialwch o'r Aifft i Wlad yr Addewid. Mae'n ddarlun cyffredin yng ngweithiau'r Piwritaniaid a'r Methodistiaid, ac yn enghraifft dda o gymryd digwyddiad o'r Hen Destament a'i drin fel cysgod o fywyd y Cristion.

Yn yr anialwch y mae Williams yn yr emyn isod, ond nid yw'n teithio y tro hwn. Mae'r gelyn wedi ymosod a'i gaethiwo. Yma eto defnyddia'r emynydd ddigwyddiad yn hanes cenedl Israel — sef alltudiaeth yr Iddewon gynt ym Mabilon (Babel) — i ddisgrifio ei gyflwr fel Cristion. A gweddïa ar i'r unig Un a all ei ryddhau ddod i faes y gad, sef y gorchfygwr Iesu (Salm 45:3-4); ac nid i'w ryddhau ef yn unig, ond torfeydd mwy niferus na thonnau'r môr.

Cred gadarn Williams oedd y deuai llwyddiant mawr byd-eang i'r efengyl yn y dyddiau diwethaf, gyda thorfeydd yn troi at Grist. Credai fod y dyddiau hynny wrth y drws; ac yn y pennill olaf gwêl y Jiwbil fawr yn gwawrio. Dyma eto ddarlun wedi'i gymryd o hanes y genedl yn yr Hen Destament. Bob 50 mlynedd cyhoeddwyd blwyddyn y Jiwbili yn Israel. Dau o brif nodweddion y flwyddyn honno oedd rhyddhau'r caethion ac adfer i'w pherchnogion gwreiddiol unrhyw ran o'u hetifeddiaeth a werthwyd (Lefiticus 25). Dyma Williams, felly, yn edrych ymlaen at y diwrnod y digwydd hynny'n ysbrydol — diwrnod o ryddhau caethion a'u dwyn i'r Jerwsalem nefol — gan gloi ei emyn ar nodyn o hyder a gorfoledd sydd mor nodweddiadol o'i waith.

Mewn anialwch rwyf yn trigo
  Temtasiynau ar bob llaw,
Heddiw, tanllyd saethau yma,
  Fory, tanllyd saethau draw;
Minnau'n gorfod aros yno
  Yn y canol, rhwng y tân;
Tyrd, fy Nuw, a gwêl f'amgylchiad,
  Yn dy allu dere 'mlaen.

Marchog, Iesu, yn llwyddiannus,
  Gwisg dy gleddau 'ngwasg dy glun;
Ni all daear dy wrth'nebu,
  Chwaith nac uffern fawr ei hun;
Mae dy enw mor ardderchog,
  Pob rhyw elyn gilia draw;
Mae dy arswyd trwy'r greadigaeth;
  Tyrd am hynny maes o law.

Tyn fy enaid o'i gaethiwed,
  Gwawried bellach fore-ddydd,
Rhwyga'n chwilfriw ddorau Babel,
  Tyn y barrau heyrn yn rhydd;
Gwthied caethion yn finteioedd
  Allan megis tonnau llif,
Torf a thorf, dan orfoleddu,
  Heb na diwedd fyth na rhif.

Minnau bellach orfoleddaf
  Fod y Jiwbil fawr yn dod,
A chyflawnir pob sillafyn
  A lefarodd Iesu erioed;
De a gogledd yn fyrddiynau,
  Ddaw o eithaf tywyll fyd,
Gyda dawns ac utgyrn arian,
  Mewn i Salem bur ynghyd.

WILLIAM WILLIAMS, PANTYCELYN (1717-91)

DISGWYLIAF O'R MYNYDDOEDD

Salmau Cân Edmwnd Prys oedd llyfr emynau Cymru hyd y 18fed ganrif. Gyda'r Diwygiad Protestannaidd, daethai canu'r gynulleidfa yn rhan o'r gwasanaeth eglwysig unwaith eto, yn hytrach na chanu'r côr yn unig. Credai Calfiniaid Genefa mai'r Salmau, llyfr emynau Gair Duw, oedd yr unig ddeunydd priodol ar gyfer canu mawl mewn oedfaon. Aethant ati i baratoi mydryddiadau o'r Salmau ac fe'u dilynwyd gan Brotestaniaid Prydain.

Cyhoeddwyd mydryddiad Edmwnd Prys o'r Salmau yn 1621 — y llyfr Cymraeg cyntaf i gynnwys cerddoriaeth. Fe'i hystyrir yn glasur o'i fath. 'Mae'n bosibl', meddai'r Athro R. Geraint Gruffydd, 'mai dyma'r gorau o holl sallwyrau mydryddol y Diwygiad Protestannaidd yn Ewrop.' Bu rhai yn mydryddu salmau o'i flaen, a dilynodd llawer ôl ei droed — fel y tystia'r ffaith, er enghraifft, fod dros 60 mydryddiad Cymraeg o Salm 23 ar gael erbyn hyn — ond, er hynny, i'r Cymro, y mae 'Edmwnd Prys' a 'Salmau Cân' bron yn gyfystyr. Cenir ei waith hyd heddiw, wrth gwrs, gan gynnwys y mydryddiad isod o Salm 121.

Defnyddiwyd Salmau Prys yn helaeth gan Eglwyswyr ac Ymneilltuwyr fel ei gilydd, a than bob math o amgylchiadau. Yn 1743 aeth Lewis Rees, gweinidog yr Annibynwyr yn Llanbryn-mair, i ardal Penmynydd ym Môn i bregethu. Casglodd haid o erlidwyr gyda'r bwriad o'i rwystro â'u pastynnau. Wrth iddynt nesu, esgynnodd y pregethwr i ben carreg fawr, troi ei wyneb tuag Arfon a rhoi allan, i'r criw bychan o wrandawyr ei ganu, y pennill 'Disgwyliaf o'r mynyddoedd draw lle daw im help 'wyllysgar'.

Tybiodd yr erlidwyr ei fod yn disgwyl cymorth gan wŷr arfog o fynyddoedd Arfon. Daeth ofn arnynt, a chiliasant yn ôl gan adael llonydd iddo fynd ymlaen â'i bregeth. Penderfynodd rhai aros yr ochr draw i'r clawdd i glywed yr hyn oedd ganddo i'w ddweud, ac yn eu plith un Siôn Rowland. 'O dan y bregeth hon,' meddai ymhen blynyddoedd lawer, 'deuthum i adnabod fy hun fel pechadur colledig. Diolch byth am fy nghipio fel pentewyn o'r tân.'

Disgwyliaf o'r mynyddoedd draw	Ar dy law ddehau mae dy Dduw,
Lle daw im help 'wyllysgar;	Yr Arglwydd yw dy Geidwad;
Yr Arglwydd rydd im gymorth gref,	Dy lygru ni chaiff haul y dydd,
Hwn a wnaeth nef a daear.	A'r nos nid rhydd i'r lleuad.
Dy droed i lithro, Ef nis gad,	Yr Iôn a'th geidw rhag pob drwg,
A'th Geidwad fydd heb huno;	A rhag pob cilwg anfad;
Wele dy Geidwad, Israel lân,	Cei fynd a dyfod byth yn rhwydd,
Heb hun na hepian arno.	Yr Arglwydd fydd dy Geidwad.

EDMWND PRYS (1544-1623)

GOLCHWYD MAGDALEN

Un o Forysiaid Môn oedd William Morris. Cadwyd dros fil o lythyr-au'r brodyr amryddawn a diwylliedig hyn, ac y maent yn drysorfa o wybodaeth am fywyd eu dydd. William oedd y mwyaf crefyddol o'r brodyr. Roedd yn eglwyswr selog, a bu'n gôr-feistr Eglwys Cybi am dros 20 mlynedd. Fel ei frodyr ni hoffai'r Methodistiaid. Serch hynny ceir tinc digon Methodistaidd yn ei unig emyn.

Ysgrifennwyd yr emyn y tu mewn i lyfr Lladin o'i eiddo. Mae dyddiad wrth bob un o'r penillion. Dan y cyntaf ceir y dyddiad 5 Hydref 1762. Mae'n bennill llawn ansicrwydd. Mae naws hollol wahanol i'r ail. Y dyddiad o dan hwnnw yw 5 Hydref 1763, flwyddyn union ar ôl dyddiad y pennill cyntaf. Pennill o ddiolch gwresog yw'r olaf. Fe'i hysgrifennwyd ymhen ychydig ddyddiau, ar 10 Hydref 1763. Ymddengys, felly, fod hon yn flwyddyn a welodd gryn drobwynt ym mhrofiad ysbrydol William Morris.

Mae'n emyn personol iawn. Mewn cromfachau y mae'r llinell 'Golchir finnau, ddyn truenus' yn y llawysgrif. O'i flaen ceir fersiwn arall: 'Golchir finnau, William Morris'. Ac wrth ddarllen am y 'para i alw ar fy ôl ar hyd fy oes' yn y pennill olaf, rhaid cofio fod William bron yn drigain yr adeg honno. Bu farw ar 29 Rhagfyr 1763, ychydig dros ddau fis wedi llunio'r pennill.

Nid oedd pont yn cysylltu Môn â'r tir mawr yr adeg honno. Mae traddodiad yn ardal y Felinheli i William Morris gyfansoddi pennill cynta'r emyn un prynhawn Sul wrth orfod disgwyl yn hir am y fferi i'w gludo draw oddi yno i sir Fôn. Bu'n gryn elw i ni fod y fferi yn hwyr y prynhawn hwnnw!

Golchwyd Magdalen yn ddisglair,
  A Manasse ddu yn wyn,
Yn y ffynnon ddaeth o galon
  Iesu ar Galfaria fryn:
Pwy a ŵyr na olchir finnau?
  Pwy a ŵyr na byddaf byw?
Ffynnon waedlyd pen Calfaria,
  Llawn o rinwedd dwyfol yw.

Gwneir, fe wneir, fe'm golchir innau;
  Gwn, mi wn y byddaf byw;
Ffynnon waedlyd pen Calfaria
  Ylch fy meiau dua'u lliw:
Do, fe olchwyd Saul o Darsus,
  Yn y ffynnon daeth yn wyn;
Golchir finnau, ddyn truenus,
  Molaf Iesu byth am hyn.

Diolch byth am drefn y cadw,
  Diolch byth am farw'r groes,
Diolch byth am bara i alw
  Ar fy ôl ar hyd fy oes:
Yn y gwaed mae'r haeddiant dwyfol
  Yn y gwaed mae 'mywyd i —
Bywyd f'enaid yn dragwyddol —
  Diolch byth am Galfari.

WILLIAM MORRIS (1705-63)

IESU, CYFAILL F'ENAID CU

Charles Wesley oedd 'pêr ganiedydd Methodistiaeth Saesneg'. Ysgrifennodd dros 6,000 o emynau. Un o'r mwyaf poblogaidd yw 'Jesu, Lover of my soul', a ymddangosodd gyntaf yn 1740. Tyfodd llawer chwedl ynghylch cyfansoddi'r emyn, megis iddo gael ei ysbrydoli gan aderyn y môr yn hedfan ato adeg storm neu gan golomen yn ceisio noddfa rhag curyll yn ei ystafell, neu iddo ei ysgrifennu dan wrych yn Iwerddon tra'n cuddio rhag erlidwyr. Ond y cwbl y gellir ei ddweud i sicrwydd yw iddo ei gyfansoddi yn lled fuan ar ôl ei dröedigaeth yn 1738.

Oherwydd y cyfeiriadau yn y pennill cyntaf, bu'n emyn poblogaidd gan forwyr. Un tro gwelodd llong o Gasnewydd ddarn o weddillion llong yn y dŵr. Anfonwyd cwch i'w archwilio. Wrth nesu, clywsant bennill cyntaf yr emyn hwn yn cael ei ganu'n dawel. Pwy oedd yno ond mam a'i baban, a gollwyd yn y môr pan aeth eu llong ar dân.

Isod ceir cyfieithiad Cymraeg o'r emyn, a ymddangosodd gyntaf mewn cylchgrawn yn 1796 (ond sydd wedi'i ddiwygio'n sylweddol gan wahanol olygyddion dros y blynyddoedd). Mae'n ddienw yn y cylchgrawn, ond gall fod yn enghraifft gynnar o waith John Hughes, Aberhonddu — y cyntaf i lunio casgliad Cymraeg o emynau i'r Wesleaid. Hwn (mewn rhyw ffurf arno) yw'r cyfieithiad o'r emyn a welir amlaf yn ein casgliadau emynau nes ei ddisodli gan un D. Tecwyn Evans yn y ganrif hon.

Iesu, Cyfaill f'enaid cu,
  Gad i mi i'th fynwes ffoi,
Tra bo'r dyfroedd o bob tu,
  A'r tymhestloedd, yn crynhoi:
Cudd fi, O! fy Ngheidwad, cudd,
  Oni chilio'r storom gref;
Yn arweinydd imi bydd,
  Nes im ddod i borthladd nef.

Noddfa arall, gwn, nid oes,
  Ond Tydi, i'm henaid gwan;
Ti, fu farw ar y groes,
  Yw fy nghymorth i a'm rhan;
Ynot, f'annwyl Iesu, mae
  F'holl ymddiried tra fwyf byw;
Nerth rho imi i barhau
  Nes dod adref at fy Nuw.

Pob peth ynot, Iesu, mae;
  Mwy na phopeth ynot sydd;
Cyfod Di'r syrthiedig rai,
  Ac i'r cleifion meddyg bydd;
I'r gwangalon cysur rho,
  Deillion tywys yn dy ffyrdd;
Ninnau yn dragwyddol rown
  Ar dy ben fendithion fyrdd.

Gras sydd ynot fel y môr,
  Gras i faddau a iacháu;
Boed i'w ffrydiau, Arglwydd Iôr,
  O bob pechod fy nglanhau;
Ffynnon bywyd ydwyt Ti,
  Rho im gysur ar fy nhaith;
Tardd o fewn fy nghalon i,
  Tardd i dragwyddoldeb maith.

CHARLES WESLEY (1707-88)
cyf. JOHN HUGHES, ABERHONDDU (1776-1843), *n.*

DYFAIS FAWR TRAGWYDDOL GARIAD

Byddai Thomas Charles o'r Bala wedi teimlo'n fwy cysurus petai'r Methodistiaid Cymreig wedi dilyn y traddodiad Calfinaidd o ganu salmau mydryddol yn unig. Roedd traddodiad emynyddol y Corff yn rhy gryf iddo'i newid, ond mynegai ei farn yn groyw: 'Geill caniadau eraill fod yn fuddiol i'w darllen a'u canu wrthym ein hunain; ond yn yr addoliad cyhoeddus, mwy ardderchog, syml, sobr, ac adeiladol yw cyfieithiad yr Archddiacon [Edmwnd Prys] o ganiadau peraidd ganiedydd Israel.'

Ond ysgrifennodd Charles ei hun emyn un tro. Yn Rhagfyr 1799 marchogai ar frys gwyllt o Gaernarfon i'r Bala i gyrraedd gwely angau nai ifanc. Diwrnod oer dychrynllyd ydoedd, ac wrth groesi'r Migneint gafaelodd yr ewinrhew ym mawd ei law chwith. Dioddefai'n gynyddol dros fisoedd lawer. Daeth yn agos at angau, ac yn Nhachwedd 1800 bu'n rhaid torri ei fawd ymaith. Mewn cwrdd gweddi y noson cyn y driniaeth gweddïai hen frawd yn daer — gan adleisio 2 Brenhinoedd 20:6 — am estyniad einioes o 15 mlynedd i Charles, a hynny a fu.

Profodd bethau mawrion yn ystod ei salwch. 'Nid wyf yn cyfrif colli bawd ond diddim', meddai, 'o'i gymharu â chysuron yr Arglwydd dan y cystudd.' Daeth y geiriau 'Cyfamod fy hedd ni syfl' (Eseia 54:10) ato droeon gyda grym neilltuol; a dywed ymhellach am y cyfnod: 'Amlygodd [yr Arglwydd] imi gymaint o'i ogoniant, ac o ogoniant trefn yr iachawdwriaeth yn ei Fab, nes y plygodd f'ysbryd dan ei law gyda thawelwch a gorfoledd.' Ysgrifennodd ei emyn wrth wella o'r afiechyd. Dyma rai o'i 12 pennill:

Dyfais fawr tragwyddol gariad
  Ydyw'r iachawdwriaeth lawn;
Cyfamod hedd yw'i sylfaen gadarn,
  'R hwn ni dderfydd byth mo'i ddawn;
Dyma'r fan y gorffwys f'enaid,
  Dyma'r fan y bydda'i byw,
Mewn tangnefedd pur, heddychol,
  'Mhob rhyw stormydd gyda'm Duw.

Syfled iechyd, syfled bywyd,
  Cnawd a chalon yn gytûn,
Byth ni syfl cyfamod heddwch,
  Hen gytundeb Tri yn Un;
Dianwadal yw'r addewid,
  Cadarn byth yw cyngor Duw,
Cysur cryf sy i'r neb a gredo
  Yn haeddiant Iesu i gael byw.

Gwelais 'chydig o'r ardaloedd
  'R ochor draw i angau a'r bedd;
Synnodd f'enaid yn yr olwg,
  Teimlais annherfynol hedd;
Iesu 'brynodd imi'r cwbwl,
  Gwnaeth â'i waed anfeidrol Iawn;
Dyma rym fy enaid euog,
  Dyma 'nghysur dwyfol llawn.

Fy natur egwan sydd yn soddi
  Wrth deimlo prawf o'th ddwyfol hedd,
Ac yn boddi gan ryfeddod
  Wrth edrych 'chydig ar dy wedd;
O! am gorff, a hwnnw'n rymus,
  I oddef pwys gogoniant Duw,
Ac i'w foli byth heb dewi,
  A chydag Ef dragwyddol fyw.

THOMAS CHARLES (1755-1814)

CYMER, ARGLWYDD, F'EINIOES I

Tua diwedd y Rhyfel Byd Cyntaf, cerddai efengylydd ar draeth Caswel ger Abertawe. Gwelodd hen wraig yn eistedd ac aeth i siarad â hi. Trodd y sgwrs at gyflwr ei henaid. Gloywodd llygaid yr hen wraig ar unwaith. 'Deuthum at Grist trwy gyfrwng Frances Ridley Havergal,' meddai; 'bydd llawer ohonom yn y nefoedd oherwydd i'r foneddiges honno ddod yma i fyw.' Treuliodd yr emynyddes wyth mis olaf ei bywyd mewn tŷ uwchben Bae Caswel, ac ennill lle cynnes yng nghalonnau'r pentrefwyr.

Cyfnod o adfywio ym mhrofiad ysbrydol llawer ym Mhrydain oedd saithdegau'r ganrif ddiwethaf. Cafodd Frances fagwraeth Gristnogol a bu'n Gristion ei hun er yn ifanc. Ond ar 2 Rhagfyr 1873 cafodd brofiad ysbrydol dwys a wnaeth iddi gysegru ei bywyd yn llwyrach i'w Meistr weddill ei hoes fer, a'i wasanaethu â bywiogrwydd a sêl newydd. Ar ôl hyn, fel y dywed Nantlais, cyfieithodd bob llinell o'i hemyn, 'Take my life, and let it be', i'w bywyd ei hun.

Ysgrifennodd yr emyn enwog hwnnw tua deufis wedi profiad mawr 1873. Yn niwedd Ionawr 1874 aeth i aros at gyfeillion yn Llundain am ychydig ddyddiau. Roedd deg person yn y tŷ — rhai yn Gristnogion, ond braidd yn ddigalon, ac eraill heb ddod i ffydd, er gweddïo hir ar eu rhan. Dywed Frances i Dduw roi'r weddi hon iddi: 'Arglwydd, rho imi *bawb* yn y tŷ hwn!' 'Ac fe wnaeth!' meddai; 'cyn imi adael y tŷ roedd pawb wedi cael bendith.' Ar y noson olaf, roedd Frances mor llawen nes methu'n lân â chysgu. Bu'r rhan fwyaf o'r nos yn moli Duw ac yn adnewyddu ei hymgysegriad ei hun iddo; ac yn y cyflwr hwnnw, ymffurfiodd cwpledi'r emyn hwn yn ei meddwl o un i un.

Cymer, Arglwydd, f'einioes i,
I'w chysegru oll i Ti;
Cymer fy munudau i fod
Fyth yn llifo er dy glod.

Cymer Di fy nwylo'n rhodd,
Fyth i wneuthur wrth dy fodd;
Cymer, Iôr, fy neudroed i,
Gwna hwy'n weddaidd erot Ti.

Cymer Di fy llais yn lân,
Am fy Mrenin boed fy nghân;
Cymer fy ngwefusau i,
Llanw hwynt â'th eiriau Di.

Cymer f'aur a'r da sydd im,
Mi ni fynnwn atal dim;
Cymer fy nghyneddfau'n llawn,
I'th wasanaeth tro bob dawn.

Cymer mwy f'ewyllys i,
Gwna hi'n un â'r eiddot Ti;
Cymer iti'r galon hon
Yn orseddfainc dan fy mron.

Cymer fy serchiadau, Iôr,
Wrth dy draed rwy'n bwrw eu stôr;
Cymer, Arglwydd, cymer fi,
Byth, yn unig, oll, i Ti.

FRANCES RIDLEY HAVERGAL (1836-79)
cyf. JOHN MORRIS-JONES (1864-1929)

CYMER, IESU, FI FEL RYDWYF

Un tro roedd Williams Pantycelyn a'i wraig yn Llangefni. Wedi iddo bregethu aethant i letya yn nhafarn Pen-y-bont (y 'Bull' erbyn heddiw). Ymgasglodd haid o erlidwyr wrth y drws, a chrythor yn eu plith. Roedd Williams a'i wraig yn y parlwr ar y pryd. Clywsant dwrw mawr yn dod i'w cyfeiriad. Gwelsant y drws yn agor yn araf, ac o'u blaen safai'r crythor gyda thyrfa wrth ei gefn.

'Tyrd i mewn, fachgen,' galwodd Williams. 'Carech chi gael tiwn?' gofynnodd yntau'n wawdlyd. 'Carem,' atebodd Williams, 'gad inni dy glywed.' 'Pa diwn?' gofynnodd y crythor. 'Unrhyw diwn a leici di, fachgen — *Nansi Jig,* neu rywbeth arall,' oedd yr ateb. Ar hyn dechreuodd y dyn rygnu'i ffidil, a gwaeddodd Williams ar ei wraig, 'Tyrd, Mali, cân *Gwaed dy groes sy'n codi i fyny . . .*' Ciliodd y dorf yn araf mewn cywilydd, a gadael llonydd i'r ddau.

Hyd at ganol y 18fed ganrif, ar ychydig iawn o fesurau — a'r Mesur Salm yn bennaf — y lluniwyd emynau yn Gymraeg. Ychwanegodd Pantycelyn yn helaeth at eu nifer, gan fenthyca llawer oddi wrth Fethodistiaid Lloegr. Enghraifft o hyn yw'r emyn-dôn *Helmsley.* Ei hawdur yw Thomas Olivers (awdur 'The God of Abraham praise'). Dywedir iddo ei seilio ar alaw y clywsai ei chwibanu ar y stryd yn Llundain. Ymddangosodd yn 1765 yn un o lyfrau tonau John Wesley, ond daeth i Gymru cyn hynny, gan mai ar hon y lluniodd Pantycelyn yr emyn isod yn 1763, yn ôl pob tebyg.

Ceir tipyn o fenthyca yn ôl ac ymlaen rhwng cerddoriaeth 'cysegredig' a 'seciwlar', yn enwedig mewn cyfnodau o fywiogrwydd ysbrydol. Yn Covent Garden yn 1776 canodd cantores enwog fersiwn o'r alaw sydd yn nhôn Olivers, a dawnsio wrth ei chanu. Ann Catley oedd enw'r gantores, ac o hynny allan galwyd yr alaw *Miss Catley's Hornpipe* neu, yn llai parchus, *Nancy's Jig.*

Cymer, Iesu, fi fel rydwyf,
    Fyth ni allaf fod yn well;
Dy allu Di a'm gwna yn agos,
    F'wyllys i yw mynd ymhell;
        Yn dy glwyfau
    Bydda' i'n unig fyth yn iach.

Mi ddiffygiais deithio'r crastir
    Dyrys anial wrthyf f'hun,
Ac mi fethais â choncwerio
    O'm gelynion lleiaf, un;
        Mae dy enw
    'N abl i beri i'r cryfaf ffoi.

Gwaed dy groes sy'n codi i fyny
    'R eiddil yn goncwerwr mawr;
Gwaed dy groes sydd yn darostwng
    Cewri cedyrn fyrdd i lawr:
        Gad im deimlo
    Awel o Galfaria fryn.

WILLIAM WILLIAMS, PANTYCELYN (1717-91)

NEWYDDION BRAF

Cryddion oedd y brodyr John a Morgan Dafydd — dywed traddodiad mai hwy oedd yn gwneud esgidiau Williams Pantycelyn. Perthynent i seiat y Methodistiaid yng Nghaeo. Roedd y ddau hefyd yn ysgrifennu emynau, a chynhwysodd Pantycelyn rywfaint o'u gwaith yn rhan olaf ei gasgliad emynau cyntaf, *Aleluia* (a ymddangosodd yn 1747). Am un emyn y cofiwn Morgan Dafydd, sef 'Yr Iesu'n ddi-lai', ac am un y cofiwn John hefyd, sef yr emyn isod.

'Mae'r llewod oll i gyd yn awr' oedd llinell olaf ond un ei emyn pan ymddangosodd am y tro cyntaf, ond newidiwyd 'llewod' i 'gelynion' erbyn ail argraffiad *Aleluia* yn 1749. Bu darllen helaeth yng Nghymru ar weithiau John Bunyan a'i gyd-Biwritaniaid, a'u dylanwad yn drwm ar genedlaethau o Gristnogion. Cafwyd dros 40 argraffiad Cymraeg o waith enwocaf Bunyan, *Taith y Pererin;* ac mae'n debyg mai'r llyfr hwn oedd ym meddwl John Dafydd wrth iddo sôn am lewod mewn cadwynau.

Yn llyfr Bunyan, wrth i'w bererin, Cristion, nesu at y Plas Prydferth, lle y gobeithia gael llety a gorffwys, caiff ei ddychryn o weld dau lew yn y ffordd. Gwaedda porthor y plas ar Gristion i beidio ag ofni gan fod y llewod wedi'u cadwyno. Fe'u gosodwyd bob ochr i'r ffordd gul i brofi ffydd y teithwyr, ac ond iddo gadw at ganol y ffordd, ni châi unrhyw niwed ganddynt. Aeth Cristion ymlaen dan grynu. Fe'u clywodd yn rhuo, ond dilynodd gyfarwyddyd y porthor a chyrhaeddodd y Plas Prydferth yn ddianaf.

Emyn i galonogi'r Cristion, a'i sicrhau fod y fuddugoliaeth wedi'i hennill, yw'r emyn sionc hwn. Mae'r Brenin Iesu *wedi* trechu'n gelynion ym Mrwydr Calfaria; *fe* ryddheir carcharorion; mae'r llewod *wedi* eu cadwyno. Cyffelybir pobl Dduw i ddefaid yn aml yn y Beibl; ac nid oes dim newyddion brafiach i ddefaid na bod eu Bugail mawr wedi rhoi'r llewod oll, wedi rhoi eu holl elynion, mewn cadwynau!

Newyddion braf a ddaeth i'n bro,	Mae Iesu Grist o'n hochor ni,
Hwy haeddent gael eu dwyn ar go';	Fe gollodd Ef ei waed yn lli;
Mae'r Iesu wedi cario'r dydd,	Trwy rinwedd hwn fe'n dwg yn iach
Caiff carcharorion fynd yn rhydd.	I'r ochor draw 'mhen gronyn bach.

Wel, f'enaid, weithian cod dy ben,
Mae'r ffordd yn rhydd i'r nefoedd wen;
Mae'n holl elynion ni yn awr
Mewn cadwyn gan y Brenin mawr.

JOHN DAFYDD, CAEO (1727-83)

EIN CADARN DŴR YW DUW A'I RAD

Yn yr Almaen yn yr 1520au y dechreuodd y Diwygiad
Protestannaidd fagu nerth; ac fel ym mhob cyfnod o adfywiad
ysbrydol, gwelwyd Cristnogion yn torri allan i ganu gyda sêl a ffresni
newydd. Bu'n drobwynt mawr yn hanes yr emyn, oherwydd gyda'r
Diwygiad a'i bwyslais ar offeiriadaeth yr holl gredinwyr, daeth canu
emynau gan yr *holl* gynulleidfa yn rhan o'r gwasanaethau eglwysig,
yn hytrach nag yn waith i gôr yn unig, fel o'r blaen — a'r cwbl yn
iaith y bobl, wrth gwrs, yn hytrach na'r Lladin.

Tad y Diwygiad Protestannaidd oedd Martin Luther, ac ef hefyd
yw tad yr emyn cynulleidfaol modern. Ysgrifennodd y rhan fwyaf o'i
emynau ym mlynyddoedd cynnar y Diwygiad. Maent yn emynau
llawn hyder ac egni, wedi'u hysgrifennu mewn arddull cadarn a
dirodres. Aethant yn boblogaidd yn gyflym. Buont yn fwy
dylanwadol hyd yn oed na'i bregethu yn y gwaith o ledu'r Diwygiad.

Isod ceir un o ddau gyfieithiad Lewis Edwards, prifathro Coleg y
Bala, o emyn enwocaf Luther — emyn a ddaeth yn fuan yn rhyfelgan
y Diwygiad. Dyma gân, meddir, 'a helpodd i newid cwrs hanes
Ewrop'. Darlunia'r fuddugoliaeth sicr yn y frwydr â'r diafol am fod
Duw yn ymladd trosom. Tua 1527 y'i cyfansoddwyd mae'n debyg —
yn ffrwyth cyfnod o erlid ac o afiechyd teuluaidd, medd rhai. Yn yr
emyn hwn rydym yn awyrgylch argyfyngus, ond cyffrous a ffyddiog,
y mudiad Protestannaidd ifanc.

Ein cadarn dŵr yw Duw a'i rad,
  Ein tarian a'n hamddiffyn;
Efe a'n gwared rhag pob brad,
  Er maint yw llid y gelyn.
Hen frenin uffern ddu
A ddaeth â'i ffyrnig lu;
Mewn nerth a dichell mawr,
Mae'n ymarfogi'n awr,
  Ni fedd y byd ei gydradd.

Gwan lewyrch ddaw o allu dyn,
  Mewn trallod blin mae'n diffodd:
Ond drosom mae'r addasaf Un,
  A Duw ei hun a'i trefnodd.
Pwy yw? medd calon drist;
Ei enw yw Iesu Grist,
Tywysog lluoedd nef,
Ac nid oes neb ond Ef
  A lwydda yn yr ymgyrch.

A phe bai'r byd yn ddiafliaid oll,
  Yn gwylied i'n traflyncu,
Ni raid i'n hyder fynd ar goll,
  Ni allant ein gorchfygu.
Tywysog y byd hwn
Sy'n llawn cynddaredd, gwn;
Ond niwed o un rhyw
Ni all; — ei ddedfryd yw
  Mai gair ein Duw a'i trecha.

Y Gair er gwaethaf uffern gref
  Un funud nid yw'n oedi;
Ond llwyddo wna amcanion nef,
  Bys Duw sydd yn mynegi.
Ein bywyd rhown yn rhwydd,
A gwraig a phlant o'n gŵydd;
Yn hir ni chaem hwynt mwy;
O'u cael ni elwant hwy;
  Ond dinas Duw a erys.

MARTIN LUTHER (1483-1546)
cyf. LEWIS EDWARDS (1809-87)

CUL YW'R LLWYBR IMI GERDDED

Mae sawl man wedi'i hawlio fel y lle a ysbrydolodd Williams Pantycelyn i lunio'r pennill 'Cul yw'r llwybr imi gerdded'. Y cystadleuydd cryfaf yw'r mynydd-dir ym Mlaenau Tywi i'r gogledd o Ystrad-ffin. Âi Williams yn bur aml ar hyd y ffordd o Randir-mwyn ac Ystrad-ffin draw am Soar-y-mynydd a Thregaron. Ymlwybrai'r ffordd heibio i ffermdy hynafol y Fannog, sydd bellach dan ddyfroedd Llyn Brianne. Dywedir i Williams lunio'r pennill wrth fynd dros ddarn cul a pheryglus o'r ffordd gerllaw yr hen ffermdy, gyda llethr greigiog yn codi'n serth ar y naill law iddo ac ar y llaw arall geunant dwfn ag Afon Tywi'n ymferwi yn ei waelod.

Un o benillion emyn hir ar thema dra chyfarwydd yng ngwaith Williams, sef taith y Cristion yn anialwch y byd hwn, yw 'Cul yw'r llwybr'. Yn yr emyn mae temtasiynau a gelynion ar bob llaw, ac yntau mewn cryn ddryswch. Yn ei argyfwng mae'n troi am gymorth ac arweiniad at yr unig Un a all ei waredu.

Mae'r darlun o lwybr cul yn un cyffredin mewn llenyddiaeth Gristnogol. Nid oes ond rhaid meddwl am *Taith y Pererin,* neu bennill hen gyfaill Williams, Morgan Rhys, 'Gwnes addunedau fil i gadw'r llwybr cul'. Ffynhonnell feiblaidd sydd i'r ddelwedd yn y pen draw wrth gwrs (Mathew 7:14). Mae'r cwbl yn pwysleisio y perygl parod sydd i bob Cristion wyro i'r naill ochr neu'r llall, a chrwydro'n eithafol i ryw gyfeiriad neu'i gilydd. Mae'r bywyd Cristnogol i fod yn un o gymedrolder a chydbwysedd. Ac i gerdded ar hyd fin rasel y bywyd hwnnw — gyda holl rym diafol, cnawd a byd i'n denu oddi ar y ffordd — mae angen nerth Un cryfach o lawer na ni.

Cyfarwydda f'enaid, Arglwydd,
  Pan fwy'n teithio 'mlaen ar hyd
Llwybrau culion dyrys anodd
  Sydd i'w cerdded yn y byd:
Cnawd ac ysbryd yn rhyfela,
  Weithiau cariad, weithiau cas,
Ton ar don sydd yn gorchuddio
  Egwyddorion nefol ras.

Cul yw'r llwybr imi gerdded,
  Is fy llaw mae dyfnder mawr,
Ofn sydd arnaf yn fy nghalon
  Rhag i'm troed i lithro i lawr:
Yn dy law y gallaf sefyll,
  Yn dy law y dof i'r lan,
Yn dy law byth ni ddiffygiaf,
  Er nad ydwyf fi ond gwan.

Nertha f'enaid egwan bellach
  Deithio'n fanwl lwybr cul,
Ac na byddo im gael fy nifa
  Gan bicellau'r ddraig a'i hil;
Cadw yn gywir fy ngherddediad,
  Na ogwyddwyf ar un llaw,
Nac i garu y creadur,
  Na'i ffieiddio trwyddo draw.

Dysg im gerdded trwy'r afonydd,
  Na'm dychryner gan y llif,
Na bwy'n ildio gyda'r tonnau,
  Temtasiynau fwy na rhif;
Cadw 'ngolwg ar y bryniau
  Uchel hardd tu draw i'r dŵr,
Cadw 'ngafael yn yr afon,
  Ar yr Iesu'r blaenaf Ŵr.

WILLIAM WILLIAMS, PANTYCELYN (1717-91)

O! AM GAEL FFYDD I EDRYCH

Mae Ann Griffiths yn un o emynwyr mawr y byd. Hi yw un o'r ychydig ferched y gwelir eu henwau yn ein llyfrau emynau; a saif nid yn unig ben ac ysgwydd uwchlaw'r merched eraill, ond uwchlaw'r holl ddynion hefyd ac eithrio Williams Pantycelyn — er mai ychydig dros 70 pennill yw'r cwbl a adawodd Ann ar ei hôl.

Derbyniwyd Ann i'r seiat Fethodistaidd ym Mhontrobert (ger Llanfyllin) ar adeg o ddiwygiad grymus; ond hyd yn oed mewn cyfnod felly, roedd ei phrofiad ysbrydol yn un nodedig. Bwriadai gadw dyddiadur i gofnodi ei phrofiadau a'i myfyrdodau. Ond un tro wrth ddychwelyd o'r cwrdd ym Mhontrobert, trodd o'r neilltu i hen lôn dywyll i weddïo. Yno ymffurfiodd ei myfyrdodau yn bennill o emyn — 'O! f'enaid, gwêl addasrwydd'. Dyma'r pennill cyntaf o'r fath iddi'i lunio. Ac yn lle cadw dyddiadur, pan bwysai rhywbeth neilltuol ar ei meddwl, deuai allan o hynny ymlaen ar ffurf pennill o emyn.

Cafodd Ann ei chodi yn yr Eglwys Wladol. Ar wyliau pwysig adroddid Credo Athanasius yn yr Eglwys, ac mae darnau ohono'n cyfateb yn agos i ail hanner y pennill cyntaf isod. Wedyn, adleisio diffiniad enwog Cyngor Chalcedon yn 451 a wna'r llinell 'Dwy natur mewn un Person' (diffiniad a ddyfynnir mewn llyfrau megis *Taith y Pererin*). Ac y mae dylanwad geiriau'r Ysgrythur yn amlwg ar y ddau bennill hefyd (e.e. 1 Pedr 1:12; 1 Timotheus 3:16 a Hebreaid 4:15).

Treulio'r hyn a gafodd yn y Beibl a mannau eraill a wna Ann Griffiths yma, felly, a'i ailddatgan yn groyw a chlir. Ond nid rhoi gwirioneddau ar gân yn foel ac yn ail-law sydd yma. Mae gwres profiad personol yn rhedeg trwy'r cwbl yr un pryd, yn ffrwyth myfyrdod dwys ar Wrthrych mawr ei ffydd. Ac nid syndod hynny, oherwydd un o nodweddion gwaith Ann yw ei gallu i gyfuno eglurder meddwl a dwyster profiad.

O! am gael ffydd i edrych
  Gyda'r angylion fry
I drefn yr iachawdwriaeth,
  Dirgelwch ynddi sy;
Dwy natur mewn un Person
  Yn anwahanol mwy,
Mewn purdeb heb gymysgu,
  Yn eu perffeithrwydd hwy.

O! f'enaid, gwêl addasrwydd
  Y Person rhyfedd hwn;
Dy fywyd mentra arno,
  Ac arno rho dy bwn;
Mae'n ddyn i gydymdeimlo
  Â'th holl wendidau i gyd,
Mae'n Dduw i gario'r orsedd
  Ar ddiafol, cnawd a byd.

ANN GRIFFITHS (1776-1805)

FFORDD NEWYDD WNAED

Ffordd a dramwyai Williams Pantycelyn yn aml oedd yr un o Gaeo a Phumsaint i fyny i Flaenau Cothi. Ychydig yn uwch i fyny'r cwm na Chwrtycadno ceir rhaeadr ar Afon Cothi sy'n ymarllwys i bwll dwfn a elwir Pwlluffern Gothi. Ar un adeg dim ond llwybrau defaid a âi yn agos ato, ond agorwyd ffordd heibio i'r pwll yn y 18fed ganrif; a'r ffordd newydd hon, yn ôl yr hanes, a ysbrydolodd Williams i lunio'r pennill 'Ffordd newydd wnaed gan Iesu Grist'.

Âi Williams i gynorthwyo Daniel Rowland gyda'r cymun yn Llangeitho, a chadwai'r seiat yn Nhan-yr-allt, Tregaron, ar y dydd Gwener cyn Sul y Cymun yn aml. (Yn ôl y sôn, wrth bregethu dan hen dderwen yn Nhan-yr-allt y cyfansoddodd Williams y pennill 'Cyfiawnder marwol glwyf, a haeddiant dwyfol loes'.) Nodwyd o'r blaen fod sawl lle yn hawlio fod yn fan ysbrydoli'r pennill 'Cul yw'r llwybr imi gerdded', ac mae Pwlluffern Gothi yn un ohonynt. Dywedir iddo lunio'r pennill wrth fynd heibio'r pwll un tro ar ei ffordd i'r cymun yn Llangeitho. Ymhen ysbaid, meddir, daeth i'r cylch eto. Erbyn hynny roedd y ffordd heibio'r pwll wedi'i lledu ac yn llai peryglus; a dyma lunio'r pennill 'Ffordd newydd wnaed'. Mae'n stori bert, ond â gormod o ddychymyg ynddi ysywaeth, gan fod pennill y ffordd newydd wedi'i gyhoeddi flynyddoedd o flaen un y llwybr cul!

Mae Blaenau Cothi yn un o nythleoedd olaf y barcut coch. Mae Ann Griffiths yn sôn am farcut mewn emyn trawiadol ganddi ar thema'r 'Ffordd' sy'n dechrau 'Er mai cwbl groes i natur yw fy llwybyr yn y byd'. Un gwirionedd a bwysleisia yn yr emyn, ac y cytunai Williams yn llwyr ag ef, yw fod y Ffordd er yn newydd *ar yr un pryd* yn hen, yn bod yn wir er tragwyddoldeb; a daw'n amlwg wrth i'r emyn fynd yn ei flaen mai Crist ei hun yw'r Ffordd mewn gwirionedd. Cyn gorffen pwysleisia Ann yr angen am lygaid ffydd cyn y gallwn hyd yn oed *weld* y Ffordd, heb sôn am ei cherdded. Heb ffydd, petai'n ganol dydd a ninnau a llygaid barcut gennym, ni fyddai gobaith ei gweld.

Ffordd newydd wnaed gan Iesu Grist
I basio heibio i uffern drist,
Wedi ei phalmantu ganddo Fe
O ganol byd i ganol ne'.

Agorodd Ef yn lled y pen
Holl euraid byrth y nefoedd wen;
Mae rhyddid i'w gariadau Ef
I mewn i holl drigfannau'r nef.

Gwnaed llwybr rhydd, 'does rwystr mwy
Na all credadun dorri trwy;
Gelynion hyll roed dan ei draed,
Ac angau'n ffrind trwy rin y gwaed.

Os tonnau gawn a stormydd chwith,
Mae Duw o'n tu, ni foddwn byth;
Credwn yn gryf, down maes o law
Yn iach i'r lan yr ochr draw.

WILLIAM WILLIAMS, PANTYCELYN (1717-91)

CYFAMOD HEDD

Y peth cyntaf sy'n taro rhywun wrth droi at ein hemynau yn eu ffurf wreiddiol yw fod llawer ohonynt dipyn yn hwy nag y maent erbyn cyrraedd y casgliadau emynau. Er mwyn iddynt fod yn hyd rhesymol ar gyfer canu cynulleidfaol, bu raid gollwng llawer pennill. Daeth llawer emyn yn fwy cryno a chofiadwy o wneud, ac elw fu tocio amryw benillion eilradd. Ond yn aml, hefyd, collwyd penillion gwirioneddol dda o'n llyfrau emynau wrth dalfyrru. Enghraifft o hyn yw'r emyn o waith Edward Jones, Maes-y-plwm, a gyhoeddir yn llawn yma. Ei deitl yw 'Y Cyfamod Gras' — thema sy'n agos at galon ein hemynwyr. Dyma'i emyn mwyaf poblogaidd, ac yn ôl O. M. Edwards, hwn yw'r 'mwyaf mawreddog o holl emynau Cymru'.

Cyfamod hedd, cyfamod cadarn Duw,
Ni syfl o'i le, nid ie a nage yw;
Cyfamod gwir, ni chyfnewidir chwaith;
Er maint eu pla, daw tyrfa i ben eu taith.

Cyfamod rhad, o drefniad Un yn Dri —
Hen air y llw, a droes yn elw i ni;
Mae'n ddigon cry' i'n codi i fyny'n fyw;
Ei rym o hyd yw holl gadernid Duw.

Cyfamod pur, ni n'widir yn y ne'
I ddamnio'r plant, os llithrant hwy o'u lle;
Fe saif ei dir, ni syflir byth mo'i sail;
Mae'n amod hedd, ar rinwedd Adda'r Ail.

Does bwlch yn hwn, fel modrwy'n grwn y mae,
A'i glwm mor glòs, heb os nac oni bai;
Ni all y plant ddim gwerthu eu meddiant mwy;
Mae gan Dduw gylch, a'u deil, o'u hamgylch hwy.

Cyfamod llawn, da, uniawn, ydyw oll,
Ei *seinio* wnaed a'i selio â gwaed di-goll:
Fe saif ei sail byth yn ddiogel dda;
Does dim mewn bod, mae'n hynod, a'i gwanha.

Fe syrthiodd pen cyfamod Eden, do,
Ni safai'n syth, bydd tristwch byth o'r tro;
Ond saif yr Ail, a'i gadarn sail ni syrth,
Gwnaed uffern gas ei phwrpas gyda'i phyrth.

Tra safo'n siwr y Pen-amodwr mawr,
Y plant nid ânt, ni lithrant byth i lawr;
Er mynd i'r bedd, a'u gwedd yn ddigon gwael,
Dwed wrth eu llwch, 'Dowch, codwch, rhaid eich cael.'

Cyfamod cry, pwy ato ddyry ddim?
'Deill byd na bedd chwaith dorri ei ryfedd rym;
Diysgog yw hen arfaeth Duw o hyd;
Nid siglo mae, fel gweinion bethau'r byd.

Er llithro i'r llaid, a llygru defaid Duw,
Cyfamod sy i'w codi i fyny'n fyw,
A golchi i gyd eu holl aflendid hwy,
A'u dwyn o'r bedd, heb ddim amhuredd mwy.

EDWARD JONES, MAES-Y-PLWM (1761-1836)

YN Y DYFROEDD MAWR A'R TONNAU

Yn Ebrill 1877 arllwysodd dŵr i bwll glo Tynewydd yng Nghwm Rhondda, a boddwyd llawer. Deg diwrnod wedi'r drychineb cafwyd hyd i bum glöwr yn fyw mewn poced o awyr. Heb fwyd, heb olau, a heb obaith bron, yr unig beth a'u cadwodd yn eu iawn bwyll oedd gweddïo, a chanu drosodd a throsodd yr hen bennill hwnnw a oedd mor addas i'w sefyllfa, 'Yn y dyfroedd mawr a'r tonnau'. Does rhyfedd mai 'Emyn y Glowyr' y galwyd hwn ar lafar gwlad byth wedi hynny.

Ond teiliwr ac nid glöwr oedd ei awdur. Mae Dafydd William yn un o'n hemynwyr pwysicaf. Bu fyw am flynyddoedd yn ffermdy Llandeilo-fach gerllaw hen eglwys Llandeilo Tal-y-bont, ar y morfa yn ymyl aber Afon Llwchwr — tir agored iawn i lifogydd, yn enwedig ar adeg penllanw. Nid yw'n syndod felly fod delweddau yn gysylltiedig â dŵr mor gyffredin yn ei emynau.

Yn ôl y sôn, un llym ei thafod a gwael ei thymer fu gwraig Dafydd William. Un noson cyrhaeddodd adref o'r cwrdd a chael y drws wedi'i gloi, a'i wraig yn y gwely ac yn gwrthod codi i agor iddo. Aeth at yr hen eglwys gerllaw. Roedd yn noson o benllanw, a'r morfa o Bontarddulais i Gasllwchwr yn un llyn anferth erbyn hynny. Trodd ei feddwl oddi wrth Afon Llwchwr at afon angau ac oddi wrth ei wraig at ei Briod Iesu. Ac yno yn y fynwent, a'r dŵr yn llyfu'r waliau o'i ddeutu, y lluniodd ei bennill enwocaf.

Dyna'r stori sydd wedi'i chadw yng nghylch Pontarddulais am achlysur cyfansoddi'r pennill hwn, er nad oes sicrwydd ei fod yn wir. Ond gwir neu beidio, un peth sy'n sicr yw y bu'r pennill yn gysur i filoedd ar filoedd o gredinwyr Cymru dros y blynyddoedd, wrth wynebu ar hen afon angau. Dyma bennill, meddai Gwili, yr oedd yn werth cael gwraig flin er ei fwyn! Ymddangosodd gyntaf yn 1778 yn drydydd pennill o emyn pedwar-pennill, er iddo fynd ar led ar lafar cyn hynny. Dyma'r pennill, ynghyd â'r un o'i flaen:

Nid oes gennyf ond dy hunan,
  Yn arweinydd ffyddlon im,
Dan dy gysgod mae fy noddfa
  Yn y storom fwya'i grym:
Cadw 'ngolwg ar yr hafan
  Lle mae 'nhynfa, doed a ddêl;
Tiroedd hyfryd yr addewid,
  Gwlad yn llifo o laeth a mêl.

Yn y dyfroedd mawr a'r tonnau
  Nid oes neb a ddeil fy mhen
Ond fy annwyl Briod Iesu
  A fu farw ar y pren:
Cyfaill yw yn afon angau
  A ddeil fy mhen i uwch y don:
Golwg arno wna imi ganu
  Yn yr afon ddofon hon.

DAFYDD WILLIAM (1720/21-94)

WELE'N SEFYLL RHWNG Y MYRTWYDD

Roedd aelwyd Dolwar-fach yn un o ganolfannau pregethu'r
Methodistiaid, ac Ann Griffiths wrth ei bodd yn croesawu
pregethwyr i'w chartref. Un noswaith yn Rhagfyr 1802, bu John
Parry, Caer — awdur *Rhodd Mam* — a hen bregethwr o'r enw
Gruffydd Siôn, yn cynnal oedfa yn Nolwar. Cafwyd rhwyddineb
neilltuol, ac aeth Ann ac eraill i orfoledd mawr ar ddiwedd y
cyfarfod. Wedi i bethau dawelu aeth Ann ymlaen at Gruffydd Siôn a
dweud, 'Roeddwn yn meddwl y caech chi gymorth mawr yn yr oedfa
heno.' Gwasgwyd arni i ddweud paham y credai hynny, ac yn y
diwedd cyfaddefodd iddi gael y fath ysbryd taer mewn gweddi
ddirgel dros yr oedfa nes iddi fod yn sicr yr atebai Duw ei gweddi.

Cân serch nodedig yw emyn enwocaf Ann, 'Wele'n sefyll rhwng y
myrtwydd'. Mae'n gân o ymgysegriad i Wrthrych mawr ei ffydd a'i
chariad, ac yn taro'r nodyn o hiraeth amdano Ef, ac am gael bod yn
bur ac yn ffyddlon iddo, sydd yn nodyn llywodraethol yn ei gwaith.
Testun pregeth John Parry y noswaith honno yn Nolwar oedd
Caniad Solomon 5:10 — 'Fy anwylyd sydd wyn a gwridog, yn
rhagori ar ddengmil' — ac mae lle i gredu i Ann lunio'r emyn hwn yn
sgîl ei bregeth.

Ond pam y sôn am fyrtwydd? Cyfeiriad sydd yma at weledigaeth
yn Sechareia 1:8 o ŵr ar farch coch yn sefyll rhwng y myrtwydd yn y
pant. 'Y gŵr . . . yw Crist,' meddai Thomas Charles wrth esbonio'r
darn; 'y myrtwydd yn y pant a arwyddant . . . ei bobl ym mhob oes
yn eu hiselderau a'u cyfyngderau. Y mae Crist yn sefyll yn eu mysg
ar ei farch, ac yn arfog, yn barod i'w hamddiffyn rhag eu holl
elynion.' Tybed onid am iddi weld Crist yng nghanol ei bobl ar
aelwyd Dolwar y noson hynod honno yn 1802 y dechreuodd Ann ei
hemyn yn y ffordd y gwnaeth?

Wele'n sefyll rhwng y myrtwydd
  Wrthrych teilwng o'm holl fryd:
Er mai o ran yr wy'n adnabod
  Ei fod uwchlaw gwrthrychau'r byd:
    Henffych fore
  Y caf ei weled fel y mae.

Rhosyn Saron yw ei enw,
  Gwyn a gwridog, teg o bryd;
Ar ddeng mil y mae'n rhagori
  O wrthrychau penna'r byd:
    Ffrind pechadur,
  Dyma'i Beilat ar y môr.

Beth sydd imi mwy a wnelwyf
  Ag eilunod gwael y llawr?
Tystio rwyf nad yw eu cwmni
  I'w gystadlu â'm Iesu mawr:
    O! am aros
  Yn ei gariad ddyddiau f'oes.

ANN GRIFFITHS (1776-1805)

O! DDEDWYDD AWR

Ei phrofiad dwys yn ffrydio allan yn benillion yw emynau Ann
Griffiths. Maent yn emynau personol iawn. Mae'n hemynwyr eraill
yn ysgrifennu â chynulleidfaoedd mewn golwg; nid felly Ann. Er ei
chysur personol y lluniodd ei hemynau, heb unrhyw fwriad i eraill eu
defnyddio. Dywed mewn llythyr ei bod yn cael ei llyncu gymaint
weithiau gan bethau tragwyddol, nes methu cyflawni ei dylet-
swyddau ym myd amser; ac mewn cyflwr felly y byddai wrth lunio
ei hemynau.

Un tro safai yn y gegin gefn mewn myfyrdod dwys, a phwys ei
phenelin ar y ffwrnes. Tynnodd ei thad sylw'r forwyn ati: 'Edrycha
ar Nansi ni acw, Ruth; fe aiff hi'n wirion, wir i ti!' 'Gadewch lonydd
i Meistres,' atebodd Ruth; 'does dim perygl o hynny. Cawn ni
rywbeth da ganddi cyn hir.' Ac yn fuan wedyn dyma Ann yn dod at
Ruth a gofyn ar ba dôn y gellid canu'r penillion canlynol: 'Mae bod
yn fyw o fawr ryfeddod', 'O! am ddyfod o'r anialwch', ac 'Mae'r
dydd yn dod i'r had brenhinol' — penillion sydd bob un yn cynnwys
cyfeiriadau at ffwrneisi neu fwg.

Âi Ann yn gyson trwy Lanwddyn a thros y Berwyn i'r Bala i
dderbyn y cymun o law Thomas Charles. Wrth ddod o'r Bala un tro,
ymgollodd gymaint wrth fyfyrio ar y Drindod, Person Crist a stad y
credadun yn y nefoedd, nes iddi deithio am ryw bum milltir o'r
ffordd yn gwbl anymwybodol. Daeth ati'i hun ym mlaenau plwyf
Llanwddyn, wedi croesi'r rhan fwyaf garw a mynyddig o'i thaith yn
gwbl ddiogel, a hynny ar geffyl a oedd fel arfer yn eithaf afreolus.
Dyma'r tro y lluniodd y pennill 'O! ddedwydd awr tragwyddol
orffwys' — pennill sy'n dangos ôl dylanwad *Tragwyddol
Orffwysfa'r Saint,* llyfr o waith y Piwritan, Richard Baxter, y bu
Ann yn myfyrio llawer ynddo.

Dyma'r pennill, ynghyd â'r un a ddaw o'i flaen yn llawysgrifau ei
chyfaill, John Hughes Pontrobert — y gŵr a ddiogelodd i ni emynau
Ann oddi ar gof ei wraig, Ruth (morwyn Dolwar-fach gynt):

O! ddyfnderoedd iachawdwriaeth,
   Dirgelwch mawr duwioldeb yw,
Duw y duwiau wedi ymddangos
   Yng nghnawd a natur dynol-ryw;
Dyma'r Person a ddioddefodd
   Yn ein lle ddigofaint llawn
Nes i Gyfiawnder weiddi, 'Gollwng
   Ef yn rhydd, mi gefais Iawn!'

O! ddedwydd awr tragwyddol orffwys
   Oddi wrth fy llafur yn fy rhan,
Yng nghanol môr o ryfeddodau
   Heb weled terfyn byth, na glan;
Mynediad helaeth byth i bara
   I fewn trigfannau Tri yn Un;
Dŵr i'w nofio heb fynd trwyddo,
   Dyn yn Dduw, a Duw yn ddyn.

ANN GRIFFITHS (1776-1805)

O! FY IESU BENDIGEDIG

Ym Mai 1855 bu farw merch un o feirdd amlycaf y ganrif ddiwethaf, Eben Fardd. Ymhen tair blynedd, yn 1858, bu farw un arall o'i dair merch. Yn 1859 bu farw ŵyr iddo, ynghyd â'i gyfaill mynwesol, y bardd Siôn Wyn o Eifion. Yn 1860 bu farw gwraig Eben. Ac yn olaf, yn Ionawr 1861, collodd ei unig fab, cannwyll ei lygad, yn 18 oed. Gwaethygodd iechyd Eben dan y pwysau a bu yntau farw yn Chwefror 1863. Mewn ychydig dros bum mlynedd yr oedd wedi claddu ei wraig a thri o'i bedwar plentyn, a'i adael yn unig yn ei gartref yng Nghlynnog Fawr yn Arfon.

Dyma gefndir yr emyn isod. Y tebyg yw mai tuag adeg marw ei fab y cyfansoddwyd ef. Mae'n llawn cyfeiriadau at sefyllfa bersonol Eben. Mae'n wan yng nghanol adfyd a thrallodion, fel cwch bach mewn storm enbyd ar fôr bywyd. Mae ei fyd yn cwympo'n deilchion gan y daeargrynfeydd sy'n siglo ei fywyd, a'r darnau o dir y bu'n pwyso arnynt — teulu, cyfeillion, hawddfyd — wedi disgyn o un i un. Fel y dywed mewn emyn arall, collodd afael ar 'ffon ar ôl ffon fu'n cynnal'.

Ond hyder a sicrwydd sydd amlycaf yn yr emyn hwn. Fe'i disgrifiwyd fel 'ffydd yng nghanol chwalfa'. Mae'n dechrau ar nodyn cadarnhaol. Er wedi'i adael yn unig, mae ganddo gwmni bendigedig. Er colli teulu, mae'r Iesu yn eiddo iddo. Ac mae'n gorffen pob pennill yn gadarnhaol, trwy bwysleisio'r nerth sydd yn yr Iesu. 'Crist yn graig ddi-sigl' yw teitl yr emyn, a thrwy'r cyfan cyferbynna'n barhaus gryfder Crist ac ansicrwydd pethau'r bywyd hwn.

O! fy Iesu bendigedig,
  Unig gwmni f'enaid gwan,
Ym mhob adfyd a thrallodion
  Dal fy ysbryd llesg i'r lan;
A thra'm teflir yma ac acw
  Ar anwadal donnau'r byd,
Cymorth rho i ddal fy ngafael
  Ynot Ti, sy'r un o hyd.

Rhof fy nhroed y fan a fynnwyf
  Ar sigledig bethau'r byd,
Ysgwyd mae y tir o danaf,
  Darnau'n cwympo i lawr o hyd;
Ond os caf fy nhroed i sengi,
  Yn y dymestl fawr a'm chwyth,
Ar dragwyddol Graig yr Oesoedd,
  Dyna fan na sigla byth.

Pwyso'r bore ar fy nheulu,
  Colli'r rheini y prynhawn;
Pwyso eilwaith ar gyfeillion,
  Hwythau'n colli'n fuan iawn;
Pwyso ar hawddfyd — hwnnw'n siglo,
  Profi'n fuan newid byd:
Pwyso ar Iesu — dyma gryfder
  Sydd yn dal y pwysau i gyd.

EBENEZER THOMAS ('Eben Fardd'; 1802-63)

O! AM YSBRYD I WEDDÏO

Ymfudodd llawer o Gymry i America yn ystod y ganrif ddiwethaf oherwydd cyni economaidd cefn gwlad a gormes tirfeddianwyr. Erbyn diwedd y ganrif roedd cymaint â 100,000 o frodorion o Gymru yn byw yn yr Unol Daleithiau. Ni welodd yr un ardal fwy o ymfudo na Llanbryn-mair. Tua diwedd 1850 gadawodd Josiah Jones ('Josiah Brynmair') oddi yno am Gomer, Ohio — un o ganolfannau'r Cymry yn yr Unol Daleithiau.

Cyn ymadael bu Josiah yn aelod amlwg gyda'r Annibynwyr yn Llanbryn-mair. Fe'i gwnaed yn ddiacon yn yr Hen Gapel yno, a bu'n gyfeillgar iawn â'r gweinidog, Samuel Roberts ('S.R.'), a'i deulu. Yn 1841 cyhoeddodd S.R. gasgliad o dros ddwy fil o emynau, casgliad a gafodd gylchrediad helaeth ymhlith yr Annibynwyr dros flynyddoedd lawer. Cydweithiodd Josiah gydag S.R. i gyhoeddi'r casgliad a chynhwyswyd sawl emyn o'i eiddo ynddo, gan gynnwys ei emyn ar y testun 'Ysbryd Gweddi'.

Un o'r adfywiadau mwyaf nerthol a welodd Cymru erioed oedd 'Diwygiad Beddgelert', a effeithiodd yn drwm ar y wlad rhwng tua 1817 ac 1822. Yna, yn 1828 dechreuodd diwygiad gwresog arall — diwygiad cyffredinol, ond â'i ddylanwad yn arbennig o amlwg ymhlith yr Annibynwyr. Cyfnod tawelach o lawer fu'r blynyddoedd canol yr 1820au. Ond fel sy'n digwydd yn aml yn hanes diwygiadau, cafwyd rhai adfywiadau mwy lleol yn y dyddiau hynny, a oedd fel petai'n rhagflas o'r diwygiad mwy a ddeuai maes o law. Disgrifir glowyr Cwm Nedd yn 1825 fel hyn, er enghraifft: 'Elent i hwyliau addoli yn y pwll glo, a dychwelent i'w cartrefi dan ddawnsio a chanu i'r Arglwydd, fel pe yn dychwelyd o Gymundeb Llangeitho.'

Yn yr un flwyddyn yr oedd 'y cyfarfodydd gweddïo yn hynod o fywiog' yn ardal Llanbryn-mair, meddir, a'r adeg honno y lluniodd Josiah Brynmair ei emyn. Gweddi bersonol a bwysleisir yn y pennill cyntaf, ond ar gydweddïo'r cwmni crediniol y mae'r sylw erbyn yr ail. Mae'n bennill sy'n llawn hiraeth am y math o adfywiad a gafwyd ymhen ychydig wedyn, ac yn tanlinellu angen mawr pob crediniwr ym mhob oes.

O! am ysbryd i weddïo —
  Byw dan geisio Iesu gwiw:
Gorsedd gras yw ne'r credadun,
  Ar ei ddeulin gyda'i Dduw;
Arglwydd cu, rho i mi
Anian ceisio gennyt Ti.

Cydymbiliwn ar ein gliniau
  Am weniadau'r Ysbryd Glân;
O! am deimlo yn bresennol
  Bur effeithiau'r nefol dân:
Rhown ein llef tua'r nef
Am ei ddylanwadau Ef.

JOSIAH JONES ('Josiah Brynmair'; 1807-87)

O! TYRED DI, IMANIWEL

Yn Ionawr 1912 cynhaliwyd cynhadledd fawr ryngwladol i fyfyrwyr Cristnogol yn y Neuadd Philharmonic yn Lerpwl. Ar y pryd roedd J. D. Vernon Lewis yn weinidog gyda'r Annibynwyr yn y dref. Clywodd ganu'r hen emyn Adfent isod droeon yn y gynhadledd honno. 'Yr oedd dylanwad y cannoedd lleisiau'n canu'n unsain y fath,' meddai, 'fel y penderfynais gyfieithu'r emyn i'r Gymraeg.'

Erbyn y 9fed ganrif roedd Eglwys Rufain wedi mabwysiadu'r arfer o ganu'r 'Antiffonau O' yn ei gwasanaethau adeg y Nadolig. Cyfres o saith siant Ladin fer oedd y rhain, yn dyddio efallai o'r 7fed ganrif. Fe'u gelwid yr 'Antiffonau O' am fod pob un yn dechrau gyda'r ebychiad 'O!', a chenid un ohonynt bob diwrnod yn y gwasanaeth hwyrol yn ystod yr wythnos cyn dydd Nadolig.

Tua'r 12fed ganrif, meddir, defnyddiodd rhywun anhysbys bump o'r antiffonau hyn i lunio emyn Lladin (er na ŵyr neb am gopi o'r emyn cyn 1710). Daeth yn adnabyddus ym Mhrydain wedi i J. M. Neale ei gyfieithu i'r Saesneg yng nghanol y 19eg ganrif fel rhan o'r ymgyrch uchel-eglwysig i gyflwyno canu'r eglwys gyn-Brotestannaidd i oedfaon yr Eglwys Anglicanaidd (ymgyrch a esgorodd ar y casgliad emynau enwog *Hymns Ancient & Modern*). Nid oedd y dôn unsain y cenir yr emyn arno — *Veni Immanuel* — yn gyfarwydd ychwaith cyn y cyfnod hwnnw, a thybiwyd ar un adeg mai tôn o ganol y ganrif ddiwethaf ydoedd. Ond erbyn hyn gellir ei holrhain yn ôl mor bell â Ffrainc yn y 15fed ganrif. O'r Lladin gwreiddiol y cyfieithodd Vernon Lewis yr emyn i'r Gymraeg.

O! tyred Di, Imaniwel,
A datod rwymau Israel
Sydd yma'n alltud unig trist,
Hyd ddydd datguddiad Iesu Grist.
O! cân, O! cân: Imaniwel
Ddaw atat ti, O! Israel.

O! tyrd, Flaguryn Jesse'n awr,
A dryllia allu'r gelyn mawr;
Rho fuddugoliaeth trwy dy wedd
Ar uffern ddofn, ac ofn y bedd.

O! tyred, Olau'r Seren Ddydd,
Diddana ein calonnau prudd:
O! gwasgar ddu gymylau braw,
A chysgod angau gilia draw.

O! tyrd, Fab Dafydd, agor Di
Yn llydain byrth y nef i ni:
Palmanta'r ffordd sy'n arwain fry,
A chae holl lwybrau pechod hy.

O! tyred, Arglwydd, yn dy nerth,
Tydi yr Hwn ar Sinai serth
Gyhoeddaist gynt dy ddeddfau glân
Mewn mawredd, a chymylau tân.

O'r Lladin; *cyf.* J. D. VERNON LEWIS (1879-1970)

O! ANGAU, PA LE MAE DY GOLYN?

Yn 1809 aeth gweinidog yr Annibynwyr yn Amlwch ar daith bregethu. Aeth â'i fab ifanc gydag ef. Dechreuasai'r mab bregethu pan oedd yn ifanc iawn. Roedd yn fachgen galluog, a disgwyl mawr wrtho. John Evans oedd enw'r tad, a dyna enw'r mab hefyd. Roedd y tad i fyw nes cyrraedd 95 oed, ond nid felly'r mab. Dirywiodd ei iechyd wedi'r daith bregethu, a bu farw ym Medi 1809 yn 18 oed. Ar ei wely angau lluniodd ysgrif ar y testun 'Angau', ac i gloi'r ysgrif cyfansoddodd y pennill 'O! angau, pa le mae dy golyn?'

Mae dwy linell gyntaf y pennill yn seiliedig, wrth gwrs, ar 1 Corinthiaid 15:55. Yn yr adnod nesaf dywedir mai 'colyn angau yw pechod'; a thystiolaeth John Evans yw fod colyn angau wedi'i dynnu am fod Baban wedi concwerio. Gwyddai o'r gorau, wrth gwrs, fod angau'n dal yn elyn. Mewn man arall yn y bennod honno — pennod fawr yr atgyfodiad — sonnir am angau fel 'y gelyn diwethaf' (ad.26). Dyn sydd yma'n wynebu ar angau, ac yn gwybod nad profiad i'w chwennych mohono — gelyn ydyw. Ond gŵyr yr un pryd fod Un wedi concro pob gelyn drosto, hyd yn oed yr un mawr diwethaf. Yng nghanol y profiad dwys hwnnw, nid oes raid ofni; mae'r fuddugoliaeth wedi'i hennill eisoes; gall y Cristion fynd adref i'r Seion nefol dan ganu.

Nid oedd y geiriau 'dan ganu' yn y pennill yn wreiddiol. Yr hyn a ysgrifennodd John Evans yn y chweched linell oedd 'I deithio i fyny tua'u gwlad'. Ond mae'n newid digon priodol ar sawl ystyr. Fe aeth John Evans ei hun adref dan ganu; ac y mae llawer Cristion dros y blynyddoedd wedi mynd adref dan ganu ei bennill gorfoleddus.

> O! angau, pa le mae dy golyn?
>   O! uffern, ti gollaist y dydd!
> Y Baban a anwyd ym Methlem
>   Orchfygodd bob gelyn y sydd;
> Nid rhaid i blant Seion ddim ofni
>   Mynd adref, dan ganu, tua'u gwlad;
> Mae eu ffordd hwy yn rhydd tuag yno,
>   A honno agorwyd â gwaed.

JOHN EVANS, AMLWCH (1791-1809)

BYDD MYRDD O RYFEDDODAU

Un pennill o waith Thomas Lewis, Talyllychau, sydd yn ein llyfrau emynau. Un pennill sydd ynddynt hefyd o waith gof arall o sir Gaerfyrddin, sef D. George Jones o blwyf Llanarthne yn Nyffryn Tywi. Aeth ef a gof arall i weithio am gyfnod i Loegr. Tra oeddynt yno, bu farw gŵr o bwys yn yr ardal. Gadawodd y ddau Gymro yr efail i gael golwg ar yr angladd ym mynwent yr eglwys. Roedd nifer da o glerigwyr yn bresennol, ac wrth eu gweld yn eu gwenwisgoedd ar lan y bedd, ysbrydolwyd D. G. Jones i ganu ei bennill am atgyfodiad y credinwyr yn y dydd mawr diwethaf.

Dyna'r traddodiad yn Nyffryn Tywi am achlysur cyfansoddi'r pennill. Beth bynnag am y clerigwyr, roedd Datguddiad 7:13-14, a'i sôn am 'gynau gwynion' a'r 'cystudd mawr', yn amlwg ym meddwl yr emynydd. Felly hefyd 1 Ioan 3:2, a'i sôn am fod yn 'gyffelyb iddo'. Dyfynnir y pennill yn *Y Drysorfa* yn 1836 wrth goffáu gwraig o Grucywel a fu'n ei adrodd o hyd ac o hyd yn ei chystudd olaf; a diddorol gweld mai 'ac ar eu *newid* wedd' a geir yno — adlais o weddnewidiad yr Iesu efallai (e.e. Mathew 17:2).

Mae Cynan yn cloi ei delyneg 'Eirlysiau' gyda hanner olaf y pennill hwn. Cerdd ydyw sy'n darlunio'r eirlysiau fel torf hardd yn ymddangos yn sydyn un bore o 'fedd y gaeaf du'. Pwysleisia'r Ysgrythur hithau mai yn sydyn a dirybudd y daw dydd atgyfodiad a barn (e.e. 1 Thesaloniaid 5:2). Ond pa mor hardd a rhyfeddol bynnag y mae blodau'r maes, nid ydynt *ddim* wrth ogoniant pobl Dduw pan gânt eu 'newydd wedd' yn y dydd hwnnw.

> Bydd myrdd o ryfeddodau
> Ar doriad bore wawr,
> Pan ddelo plant y tonnau
> Yn iach o'r cystudd mawr;
> Oll yn eu gynau gwynion,
> Ac ar eu newydd wedd,
> Yn debyg idd eu Harglwydd
> Yn dod i'r lan o'r bedd.

DAVID GEORGE JONES (1780-1879)

DEUWCH, BECHADURIAID TLODION

Un o emynau mawr y Saesneg yw un Joseph Hart, 'Come, ye sinners, poor and wretched'. Thema'r emyn yw'r croeso sydd i'r sawl a deimla bwys eu pechod i ddod at Iesu Grist am faddeuant a bywyd. Mae'n seiliedig, wrth gwrs, ar wahoddiad grasol Duw ym Mathew 9:13 ac 11:28-30 ac yn Eseia 55:1-7.

Llundeiniwr oedd Hart. Er iddo gael magwraeth grefyddol, bu mewn anialwch ysbrydol am flynyddoedd maith, nes dod i brofiad byw o'r efengyl yn 1757. Tua'r adeg honno dechreuodd gyfansoddi emynau, a chyhoeddodd gyfrol ohonynt yn 1759 — casgliad pur ddylanwadol yn ei ddydd. Un o emynau'r casgliad yw 'Come, ye sinners'. Ffrwyth profiad mawr 1757, felly, yw'r emyn hwn.

Ysgrifennodd Hart ragymadrodd nodedig i'w lyfr emynau yn olrhain ei bererindod ysbrydol cythryblus. Fe'i cyfieithwyd i'r Gymraeg a'i gyhoeddi fel llyfryn fwy nag unwaith yn y 18fed ganrif. Ynddo mae'n ymosod yn llym ar antinomiaeth, sef y gred fod y Cristion yn rhydd i fyw fel y myn, dim ond iddo gredu yng Nghrist am iachawdwriaeth. Ond ymesyd yr un mor llym ar yr hyn a eilw'n Phariseaeth, sef y gred y gall dyn ennill iachawdwriaeth trwy ei weithredoedd da ei hun. Dyna ergyd yr emyn hwn hefyd. Dod at Grist gan gydnabod ein bod yn fethdalwyr llwyr yw'n hunig obaith am dderbyniad ganddo.

Golygfa gyffredin yn y 18fed ganrif oedd gweld y porthmyn yn gyrru anifeiliaid o Gymru i'r ffeiriau yn Lloegr. Porthmon oedd Dafydd Jones o Gaeo, ac ef a gludodd emyn Hart i Gymru. Ymddangosodd ei gyfieithiad ohono yn 1763. Wele benillion 1, 2 a 4 yr emyn gwreiddiol:

Deuwch, bechaduriaid tlodion
  Clwyfus, cleifion o bob rhyw;
Crist sy'n barod i'ch gwaredu,
  Llawn tosturi yw Mab Duw:
    Nac amheuwch,
    Abl ac ewyllysgar yw.

Rai anghenus, dewch a chroeso,
  I gael rhoddion Duw yn rhad;
Cewch wir ffydd ac edifeirwch,
  A phob gras yn ddinacâd;
    Dewch heb arian,
    Prynwch gan yr Iesu'n rhad.

Dewch, flinderog a thrwmlwythog,
  Trwy y Cwymp gadd farwol friw;
Os arhoswch nes eich gwella,
  Byth ni ddeuwch yn eich byw:
    Pechaduriaid,
    Nid rhai cyfiawn, eilw Duw.

JOSEPH HART (1712-68),
cyf. DAFYDD JONES, CAEO (1711-77)

BETH YW'R UTGORN?

'Beth yw'r drwm a glywa' i'n curo?' oedd llinell agoriadol pennill Siôn Singer yn wreiddiol. Yn y 18fed ganrif, ym misoedd y gaeaf, anfonid rhai o gwmpas y wlad gan y fyddin Brydeinig i ennill dynion i'w rhengoedd. Wrth gyrraedd rhyw fan, cenid drwm i dynnu sylw; ac wedi i dyrfa grynhoi, aed ati i geisio eu cael i listio yn y fyddin. Dyma'r darlun sydd ym meddwl yr emynydd.

Cynhyrchodd y Diwygiad Methodistaidd filoedd o emynau; ond ni chynhyrchodd gerddorion. Ni ddaeth gwawr oes aur yr emyn-dôn yng Nghymru tan ganol y ganrif ddiwethaf. Cafwyd canu selog yn sgîl y Diwygiad, ond hynny'n ganu digon di-lun a diddisgyblaeth, ac ar donau digon sâl. Gwrthwynebid unrhyw ymgais i wella safon canu cynulleidfaol gan lawer. Iddynt hwy, nid rhywbeth i'w *ddysgu* oedd canu mawl; ac ofnid yr elfen o 'berfformio' a ddeuai o roi sylw i'r gerddoriaeth. Ond cafwyd rhai athrawon yn mynd o gwmpas yn dysgu tonau yn y 18fed ganrif. Un o'r mwyaf medrus ohonynt oedd Siôn Singer, ac ef hefyd a gyhoeddodd yn 1797 y llyfr Cymraeg cyntaf i ddysgu elfennau cerddoriaeth.

Yn 1840 cyhoeddodd Roger Edwards, Yr Wyddgrug, gasgliad o emynau, a ddefnyddid yn helaeth am flynyddoedd wedyn ymhlith y Methodistiaid Calfinaidd. Cynhwysodd tua 50 o'i emynau ei hun yn y casgliad. Hefyd, lluniodd rai penillion i'w hychwanegu at benillion o waith pobl eraill. Enghraifft o hyn yw'r ddau bennill isod, a ysgrifennodd i fynd gyda phennill Siôn Singer ac sy'n dilyn yr un patrwm o gwestiwn ac ateb.

'Beth yw'r utgorn glywa' i'n seinio?'
  Brenin Seilo sydd yn gwadd.
'Pwy sy'n cael eu galw ganddo?'
  Pechaduriaid o bob gradd:
Adre, adre, blant afradlon —
  Gadewch gibau gweigion ffôl;
Clywaf lais y Brenin heddiw
  'N para i alw ar eich ôl.

'Pam y geilw'r Brenin arnom?'
  Am ei fod yn llawn o ras.
'Beth a wna i'r drwg sydd ynom?'
  Gylch â'i waed eich pechod cas:
Ei amynedd sydd yn rhyfedd,
  Yn eich goddef hyd yn awr;
Plygwch, plygwch i'w drugaredd,
  Cyn mynd dan ei lid i lawr.

'A achubir hen droseddwr?'
  Gwneir, o waelod trallod trist.
'Pwy fydd iddo yn Waredwr?'
  Duw a dyn — un Iesu Grist:
Pechaduriaid euog, aflan,
  O dan bwys euogrwydd llym,
At yr Iesu, deuwch weithian —
  Ef ni'ch bwria allan ddim.

1: JOHN WILLIAMS ('Siôn Singer'; *c*. 1750-1807)
2,3: ROGER EDWARDS (1811-86)

DAL FI'N AGOS AT YR IESU

Un o bregethwyr mwyaf poblogaidd ei ddydd oedd Dr Herber Evans. Yn gynnar yn 1880, ac yntau yn ei anterth fel pregethwr a darlithydd, torrodd ei iechyd. Ni allai bregethu am fisoedd lawer, a dim ond yn araf iawn, dros gyfnod o flynyddoedd yn wir, yr adfeddiannodd ei nerth. Ar ben y cwbl, yn 1883, bu farw ei unig fab yn 2½ oed. Ond yng nghanol tywyllwch y cyfnod cythryblus hwnnw, gallai ysgrifennu: 'Yr ydym yn ddiolchgar am yr unig oleuni — goleuni Dwyfol. Ac yr ydym yn glynu wrth weddi, fel y mae morwr yn glynu wrth yr un *plank* rhag suddo.'

Yn 1886 yr ysgrifennodd Herber yr emyn isod. Mae'n llawn o'i brofiad yn y cyfnod stormus yr oedd newydd fynd trwyddo, gan gynnwys mae'n siwr y cyfeiriad at 'gariad mam', ac yntau wedi gwylio gofid ei wraig adeg marw eu mab. Dyma a ysgrifennodd yn ei ddyddiadur y diwrnod hwnnw: 'Bu fy machgen annwyl farw, a'i law yn fy llaw i, 20 munud i 5 bore heddiw. Y fath ysgytwad! — ac mor annisgwyliadwy! Duw a gynorthwyo ei fam i ymgynnal!'

Adeg cyfansoddi'r emyn yr oedd Herber Evans yn byw mewn tŷ yng Ngorllewin Twthill yng Nghaernarfon, tŷ a wynebai fachlud haul dros Ynys Môn. Testun un o'i bregethau gynt oedd 'Bydd goleuni yn yr hwyr' (Sechareia 14:7), y llinell sy'n cloi pob pennill o'r emyn. Ond yn ei feddwl hefyd, yn ddiau, yr oedd llewyrch yr haul wrth fachlud dros Fôn ar noson glir. Yn briodol ddigon, canwyd yr emyn yn ei angladd ef ei hun.

Dal fi'n agos at yr Iesu,
  Er i hyn fod dan y groes;
Tra yn byw ym myd y pechu,
  Canlyn dani bura f'oes;
Os daw poen, ac ing, a th'wyllwch,
  Rho im argyhoeddiad llwyr —
Wedi'r nos a'r loes a'r trallod,
  Bydd goleuni yn yr hwyr.

Dysg im edrych i'r gorffennol —
  Hyn a ladd fy ofnau i gyd;
Dy ddaioni a'th drugaredd
  A'm canlynant drwy y byd:
Os daw deigryn, storm a chwmwl,
  Gwena drwyddynt oll yn llwyr;
Enfys Duw sy'n para i ddatgan,
  'Bydd goleuni yn yr hwyr.'

Tywys Di fi i'r dyfodol,
  Er na welaf fi ond cam;
Cariad Duw fydd eto'n arwain —
  Cariad mwy na chariad mam:
Mae Calfaria'n profi digon,
  Saint ac engyl byth a'i gŵyr;
Er i'r groes fod yn y llwybr,
  Bydd goleuni yn yr hwyr.

E. HERBER EVANS (1836-96)

O! TYN Y GORCHUDD

Magwyd Hugh Jones ar ffermdy Maesglasau, mewn cilfach fynyddig ger y ffordd sy'n arwain o Ddinas Mawddwy i Ddolgellau. Am ei emyn ar ddioddefaint Crist y cofir amdano yn bennaf. Mae'n emyn crefftus a chadarn ei adeiladwaith, yn atseinio gyda chyffyrddiadau cynganeddol ac odlau mewnol. Ynddo gwelwn y ffynnon a agorwyd ar fryn Calfaria yn llifo'n afon gref ddi-droi'n-ôl, llifeiriant fydd yn parhau yn ei rym wedi i amser beidio. Bu'n boblogaidd dros y blynyddoedd yn oedfa'r cymun, ac ym marn O. M. Edwards, dyma'r emyn gorau yn yr iaith Gymraeg.

Gweddi am oleuni ysbrydol sydd ar y dechrau, gweddi am gael gwell olwg ar aberth Crist a'i haeddiant. Mae'n adleisio Eseia 25, lle yr edrychai'r proffwyd ymlaen at yr amser y byddai Duw yn arlwyo gwledd i'r bobl ym mynydd Seion, ac yn 'difa yn y mynydd hwn y gorchudd sydd yn gorchuddio yr holl bobloedd'. Diau hefyd fod 2 Corinthiaid 3 yn ei feddwl, lle y sonnir am y gorchudd ysbrydol a dynnir ymaith pan ddaw rhywun at Grist. Mae'n weddi addas ar gyfer yr anghrediniwr felly — ar i Dduw roi iddo lygaid ffydd a goleuni ysbrydol. Mae'n weddi addas i'r crediniwr hefyd — ar i Dduw roi iddo olwg well eto ar wirioneddau'r Ffydd.

Yn ôl traddodiad, atgof am Gwm Maesglasau oedd yr achlysur i Hugh Jones ganu ei emyn. Er mai cyfeiriad at fynydd Seion sydd yma, dichon fod golygfeydd mynyddig ei hen gartref — a'u niwloedd a'u rhaeadrau — yn ei feddwl hefyd. A hwyrach, yn wir, mai gweddi ar ei ran oedd yr emyn, ymhlith pethau eraill, am lwyddiant yr efengyl yn ei hen gynefin.

O! tyn
Y gorchudd yn y mynydd hyn;
Llewyrched Haul Cyfiawnder gwyn
O ben y bryn bu addfwyn Oen
Yn dioddef dan yr hoelion dur,
  O gariad pur i mi mewn poen.

Ble, ble
Y gwnaf fy noddfa dan y ne',
Ond yn ei archoll ddwyfol E'?
  Y bicell gre' aeth dan ei fron
Agorodd ffynnon i'm glanhau;
  Rwy'n llawenhau fod lle yn hon.

Oes, oes,
Mae rhin a grym yng ngwaed y groes
I lwyr lanhau holl feiau f'oes:
  Ei ddwyfol loes, a'i ddyfal lef
Mewn gweddi drosof at y Tad,
  Yw fy rhyddhad, a'm hawl i'r nef.

Golch fi
Oddi wrth fy meiau mawr eu rhi',
Yn afon waedlyd Calfari,
  Sydd heddiw'n lli o haeddiant llawn;
Dim trai ni welir arni mwy;
  Hi bery'n hwy na bore a nawn.

HUGH JONES, MAESGLASAU (1749-1825)